L'ANJOU

ENTRE LOIRE ET TUFFEAU

TEXTE ET PHOTOGRAPHIES
PHILIPPE ET CATHERINE NÉDÉLEC

Éditions Ouest-France

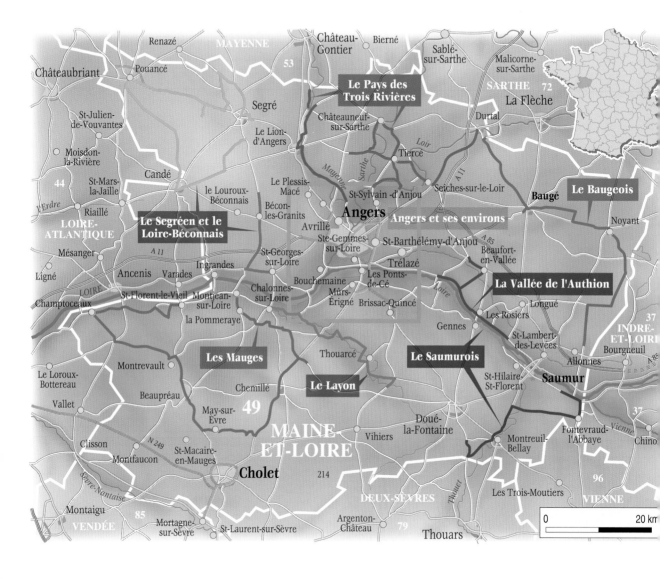

Sommaire

Qui ne connaît pas le printemps angevin

S'ouvrir à l'Anjou, c'est faire le choix d'un riche voyage au cœur d'un territoire chargé d'histoire, étonnant de diversité, ouvert à la modernité. Avec trois vraies villes et un milieu rural bien vivant, le Maine-et-Loire ne défraie que rarement la chronique, tranquille et laborieux à l'écart des tensions de la société mondialisée. Avec cent cinquante sites ouverts à la visite, l'Anjou propose aux touristes une vaste palette de plaisirs à découvrir mais attention, ici plus qu'ailleurs, il est nécessaire de bien préparer son itinéraire pour profiter au mieux des ressources locales. En effet, c'est essentiellement une mosaïque de réalisations modestes qui compose la trame du paysage angevin.

Destination de week-ends ou de courts séjours, l'Anjou aspire à être plus. Le classement du Val de Loire au patrimoine mondial par l'UNESCO devrait permettre au tourisme angevin d'attirer une clientèle française et internationale.

Alors, sortant de sa légendaire douceur, l'Anjou s'affirmera comme une destination préservée de la France de l'intérieur, idéale pour les adeptes du tourisme intelligent et actif.

ignore la douceur de vivre.

JACQUES LEVRON

Présentation

Associant les collines du Massif armoricain aux plaines du Bassin parisien, sillonné par la Loire et ses nombreux affluents, l'Anjou est un des rares départements qui cultivent autant la variété des paysages. Bocages des Mauges et du Segréen, plaines et campagnes ouvertes du Baugeois et du Saumurois opposent encore nettement Anjou noir et Anjou blanc. C'est un paysage tout en contraste que le touriste découvre ici, un paysage composé tour à tour de schiste, de granit ou de tuffeau, rehaussé par les couleurs changeantes du vignoble et des grandes forêts domaniales ; des terres variées dessinant une mosaïque de pays dont chacun conserve une originalité propre. Traversant le département d'ouest en est, la Loire a largement contribué à l'histoire de l'Anjou. Ses débordements sont à l'origine des terres fertiles horticoles et des plus riches régions de migrations naturelles d'Europe, formant une véritable étape pour des milliers d'oiseaux. On y pêche encore beaucoup. Sur les toues, les pêcheurs professionnels traquent les poissons migrateurs comme les saumons, les aloses, les lamproies et les anguilles. Sur les rives, d'autres jettent leurs lignes pour taquiner les gardons, les sandres, les perches et les brochets qui y abondent. Enfin, persiste encore le souvenir d'une importante voie navigable, du temps où les bateaux hollandais descendaient vers la mer les fûts de vin du Layon, ou les gabares, les ardoises, le tuffeau et le chanvre.

La Grande Vignolle à Turquant : un des plus grands ensembles de troglodytes du coteau du Saumurois.

*Page de gauche : **En face du château d'Angers, les reflets bigarrés des péniches amarrées aux quais de Maine.***

9

Au nord d'Angers, la confluence de trois rivières (la Mayenne, le Loir et ici la Sarthe) crée la Maine, la rivière qui passe pour être la plus courte de France et qui traverse Angers avant de se jeter dans la Loire.

L'abbaye de Saint-Georges-sur-Loire accueille régulièrement des expositions de qualité.

Sous son doux climat s'épanouissent plus de mille cinq espèces de végétaux, particulièrement dans la vallée de l'Authion, dans la région de Chemillé, haut lieu des plantes médicinales et près de Doué-la-Fontaine qui attire chaque année à elle seule des milliers de visiteurs durant les journées de la rose. La filière végétale est partie prenante dans l'essor économique du département ; l'Institut national de la recherche agronomique et le Bureau horticole régional en favorisent l'avancée.

Sur des sols calcaires ou schisteux, le vignoble angevin est devenu le plus étendu du Val de Loire. Les vins blancs moelleux comme les Coteaux-du-layon, le Quarts-de-chaume et le Bonnezeaux sont depuis le XVIe siècle, exportés partout dans le monde. De purs nectars, qui, selon la légende seraient nés de plants de chenin rapportés de Germanie par saint Martin, évêque de Tours au IVe siècle.

Autant d'arguments qui ont favorisé l'évolution démographique de l'Anjou et son histoire, étroitement liée à la dynastie des Plantagenêts et au roi René. Une floraison de châteaux, de prieurés et d'abbayes en est restée, et un style né à la fin du XIIe siècle, le

10

gothique angevin. Une histoire qui s'inscrit jusque dans ses entrailles, là où l'extraction du tuffeau et du falun a laissé les troglodytes de coteaux et de plaines.

L'Anjou est souvent traversé un peu trop vite ; seuls les châteaux d'Angers et de Saumur font impression. Pourtant, le patrimoine y est très dense ; près de mille châteaux et manoirs, dont bon nombre du XVe siècle, embellissent jusqu'aux plus petites communes. Parmi eux, une cinquantaine de châteaux privés deviennent gîtes ou chambres d'hôtes, ou bien encore, ouvrent leurs salons pour des soirées ou des dîners d'exception. Comprendre l'Anjou passe aussi

par la découverte de son patrimoine religieux. Le christianisme se répand en Anjou à partir du IVe siècle. La marque des saints évangélisateurs est encore présente dans de nombreux noms d'édifices ou de villages. Des édifices grandioses aux simples chapelles, elles ont souvent leur histoire ou leur légende, qui fait détenir à

l'église du Puy-Notre-Dame la ceinture de la Vierge, et à la chapelle de l'hospice de Baugé, la Croix d'Anjou. De toute façon, les édifices religieux ont su illustrer la ferveur des souverains, de Foulques Nerra à Louis Ier qui, vers 1370, commanda la tenture de l'Apocalypse et qui décida de transformer en joyau la relique de la

Forêts du Baugeois,
l'invitation à la promenade
à cheval.

Le Val de Loire est désormais inscrit au patrimoine mondial par l'Unesco. En Anjou, la zone protégée débute à Montsoreau (la Gloriette ci-dessous), pour se terminer à Chalonnes-sur-Loire (et son église ci-contre).

Vraie Croix. L'histoire se lit également sur les vitraux, retraçant largement les guerres de Vendée, notamment dans les églises des Mauges, comme le massacre du moulin de la Reine à Montilliers.

De la tradition équestre qui donna naissance à l'école de cavalerie, Saumur est restée une place importante pour le cheval. Sentiers, hippodromes et bien sûr les terrains de Terrefort, où est installée, depuis 1972, l'Ecole nationale d'équitation, attestent l'intérêt porté au cheval. Les quatre cents chevaux de l'E.N.E. perpétuent la tradition équestre française. Garants d'une discipline et d'une tradition séculaires, les prestigieux écuyers du Cadre Noir font, en grand apparat, démonstration de leurs talents dans les « reprises de manège et des sauteurs ».

A l'ouest du département, en octobre, le Lion-d'Angers reçoit des compé-titeurs du monde entier pour ses journées de dressage, de sauts d'obs-tacles et le spectaculaire cross dans le parc de l'Isle Briand : un mondial des jeunes chevaux qui laisse poindre les meilleurs talents de demain.

La Loire entre Saumur et Montsoreau.

Historique

Des recherches archéologiques ont mis au jour des témoignages de la vie humaine il y a 40 000 ans avant notre ère sur la commune de Chalonnes-sur-Loire, mais l'histoire de l'Anjou ne commence réellement qu'à la période gauloise ou celtique. A l'époque on l'appelle région des Andes dont les habitants sont les Andécaves. Déjà, deux grands hommes s'illustrent dans l'une des plus petites cités de la Gaule, par leur résistance aux Romains : Vercingétorix et Dumnacus.

Après la victoire de Rome, Angers, nommée alors Juliomagus, voit construire de nombreux thermes dans le quartier de la République, un forum près de Saint-Laud et un amphithéâtre de plus de six mille places entre les actuelles rues Hanneloup et Bressigny. L'essor déborde de la ville avec l'installation d'un camp romain aux Châteliers-de-Frémur et le traçage de nombreuses voies vers les villes importantes.

Dans la seconde moitié du IIe siècle, les invasions germaniques sonnent le glas de l'Empire romain sur la Gaule. Juliomagus devient alors Angers, ville fortifiée sur les hauteurs, entre l'emplacement actuel du château et celui de la cathédrale.

A partir du IVe siècle, le christianisme se répand largement en Anjou notamment avec saint Martin de Tours, premier évêque connu d'Angers. La vie monastique prend de l'ampleur avec la création des premières communautés de Saint-Florent-le-Vieil, de Saint-Aubin-d'Angers et de Saint-Maur-de-Glanfeuil.

Au IXe siècle, les Normands remontent périodiquement la Loire, « détruisant les églises et incendiant les monastères, les bourgs et les châteaux », selon un texte de l'époque. La fuite des moines et la famine qui s'ensuit laissent le pays dans une situation dramatique.

L'INFLUENCE DES PLANTAGENÊTS

Après quelques années difficiles, Foulques Ier le Roux fonde une dynastie comtale qui rayonne pendant trois siècles et dont le personnage le plus connu est Foulques Nerra dit « le Noir ». Le nom de Plantagenêt viendrait de Geoffroi le Bel, fils de Foulques V, qui chassait à travers les landes mancelles, couvertes de genêts. L'empire Plantagenêt ne cesse de croître. Henri II, fils de Geoffroi et

Page de gauche :
Le château du Plessis-Bourré (où fut tourné « Peau d'âne » avec Jean Marais et Catherine Deneuve).

La tenture de l'Apocalypse présentée au château d'Angers : la plus grande tapisserie médiévale parvenue jusqu'à nous.

© Inventaire général/ADAGP

Le Baugeois est une terre riche en châteaux, le plus souvent cachés.

est représentatif du style architectural propre aux Plantagenêts, le gothique angevin. Avec ses fines colonnes, ses bouquets de branches d'ogives et ses nervures délicates, il donne tout leur éclat à de grands édifices religieux tels que l'église du Puy-Notre-Dame ou la cathédrale Saint-Maurice, marquant ainsi le renouveau religieux qui favorise également la reconstruction de nombreux prieurés et abbayes.

LA POPULARITÉ DU ROI RENÉ

Les ducs d'Anjou ont fortement marqué leur fief. Louis Ier se partage entre la Bretagne, le Languedoc et assure la régence de son jeune neveu en 1380. Couronné roi de Sicile en 1382, il passe les deux dernières années de sa vie à tenter de conquérir l'Italie méridionale et Jérusalem. Louis II d'Anjou épouse en 1400 Yolande d'Aragon, personnage important de l'époque. Leur fils aîné, Louis III, reste presque toute sa vie en Italie.

On connaît beaucoup son frère cadet René, né au château d'Angers en 1409. Très populaire, sa carrière n'est cependant qu'une suite d'échecs. A sa mort l'Anjou devient une province du royaume de France et perd ainsi son individualité politique.

Le roi René préfère les arts et aménage manoirs et châteaux, laissant de fort belles réalisations comme les peintures des voûtes de la chapelle du château de Pimpéan à Grézillé ou la chapelle du château du Plessis-Macé. Son neveu, Louis XI, redonne une importance considérable au culte de la Vierge et aux pèlerinages, notamment à Béhuard et à Saumur.

La commune d'Angers est créée à la fin du XVe siècle. Dirigée par un maire, dix-huit échevins et trente-six conseillers, elle joue un grand rôle jusqu'à la Fronde. La monarchie, aux prises avec les troubles religieux et politiques de la Réforme, doit faire appel à plusieurs reprises aux états généraux. Le grand juriste angevin Jean Bodin est nommé porte-parole aux états de Blois en 1576, prônant la modération religieuse et faisant approuver par la majorité des députés la thèse résolument nouvelle selon laquelle la royauté est un pouvoir délégué et non de droit divin.

Après les destructions des guerres de Religion, la Contre-Réforme catholique se manifeste aux XVIIe et XVIIIe

de Mathilde, déjà comte d'Anjou, du Maine et de Touraine, et duc de Normandie, devient duc d'Aquitaine, puis roi d'Angleterre. Mais sous le règne de Jean sans Terre, dernier fils d'Henri et d'Aliénor, l'empire continental des Plantagenêts s'effondre. Son fils, Henri III, reconnaît au traité de Paris de 1258 le rattachement de l'Anjou à la couronne de France.

Cette période connaît une croissance sans précédent en Anjou, développant rapidement de nouveaux villages autour des châteaux. Baugé, Montreuil-Bellay, Fontevraud et Saint-Florent-le-Vieil en sont les plus connus.

Angers s'étend outre-Maine, autour des abbayes du Ronceray et de Saint-Nicolas puis de l'hôpital Saint-Jean, édifice voulut au début du XIIe siècle par Henri II pour les pauvres. Cet édifice

Le Thoureil.

siècles par la transformation de nombreux monastères et l'édification de nouveaux sanctuaires. Le paysage commence à se dessiner dans l'ensemble du département. L'agriculture est la première activité mais on peut déjà constater des disparités entre les régions. Les vallées de la Loire et du Layon se couvrent de vignes et de champs de blé, tandis que les landes continuent d'occuper une grande partie du Segréen et des Mauges, et la forêt, une grande partie du Baugeois.

Le marquis de Turbilly aide efficacement aux progrès de l'agriculture et tente un aménagement de la vallée de l'Authion qui ne peut aboutir à cause d'une ordonnance de Jeanne de Laval aux habitants de la vallée en 1471, leur donnant le droit de pâture sur les prairies indivises.

A Cholet, la prédominance est donnée au textile. A Angers, des pépinières se créent à l'initiative de Leroy et du baron Foullon. A Trélazé et dans le Segréen, on extrait l'ardoise tandis qu'à Saumur, on extrait toujours plus de tuffeau. Sur la Loire, de nombreux bateaux de commerce transportent vins, eaux-de-vie, textiles et ardoises vers l'Océan pour de lointaines destinations.

La Révolution gagne l'Anjou, puis viennent les soulèvements de Cholet et de Saint-Florent-le-Vieil, le passage de la Loire, la virée de Galerne... Mais les combats continuent en Anjou, les Blancs et les Bleus se livrent à de féroces combats marqués à jamais dans la mémoire des Choletais.

VERS LES TEMPS MODERNES

Sous la Restauration, l'enrichissement des campagnes est en partie due à des nouveautés comme le chaulage des terres. Ainsi, quatre-vingt-neuf fours à chaux, principalement sur Chalonnes et Montjean, alimentent les besoins des agriculteurs. Côté vignoble, les cépages s'améliorent et Ackerman introduit la champagnisation en Anjou.

La route et le chemin de fer ouvrent des horizons nouveaux pour les paysans. Aidé par la richesse de certaines communes, l'ample mouvement de reconstruction qui suit la Révolution atteste le renouveau de l'économie de l'Anjou.

La prospérité urbaine donne elle aussi du travail à la population. A Angers, les concentrations successives d'entreprises textiles aboutissent à l'empire Bessonneau qui compte dix mille salariés en 1920. Dans les Mauges, cinquante mille personnes travaillent à la fabrication des toiles de chanvre et le coton. Grâce au chemin de fer, la production d'ardoise du Segréen et d'Angers est multipliée par huit en un siècle.

Tout au long du XXe siècle, la population des villes va sans cesse croître en parallèle à l'implantation d'industries nouvelles comme celle de la chaussure puis de l'électronique. L'exode rural est moins douloureux qu'ailleurs pour différentes raisons, notamment la reconversion de terres agricoles vers des cultures spécialisées.

Enfin, remarquons le développement, dans la seconde moitié du XXe siècle, des activités tertiaires à Angers. Issus du rayonnement universitaire ancien de la ville, les métiers de la recherche, de l'enseignement supérieur et des carrières administratives créent un pôle tertiaire conséquent dont l'avenir est très important pour l'ensemble de l'économie départementale.

Les Mauges

SAINT-FLORENT-LE-VIEIL - LA CHAPELLE-SAINT-FLORENT - BOUZILLÉ - LIRÉ
CHAMPTOCEAUX - SAINT-LAURENT-DES-AUTELS - LE FUILET - SAINT-PIERRE-MONTLIMART
BEAUPRÉAU - LE MAY-SUR-EVRE - SAINT-GEORGES-DES-GARDES - CHEMILLÉ
CHANZEAUX - SAINT-LAURENT-DE-LA-PLAINE - MONTJEAN-SUR-LOIRE

Pays de bocage très empreint du souvenir des guerres de Vendée, les Mauges ont longtemps gardé une image de pays replié sur lui-même. Sur les routes de l'Océan, en jouant la carte « Nature », les Mauges ont, au contraire, su attirer bon nombre de touristes.

Ce pays de traditions tire surtout sa fierté des hommes illustres, Cathelineau, Stofflet, Bonchamps ou encore d'Elbée, qui ont écrit l'histoire de la Vendée militaire que l'on devrait nommer pour être précis « les guerres des Mauges ».

Mais, cette région a su s'adapter au fil des ans aux mutations du monde moderne. La reconversion il y a un siècle de l'économie vers les industries de la chaussure et de l'habillement a fait émerger plusieurs générations d'entrepreneurs qui ont fait dire du Choletais qu'il était le « Far West » de la France. Durement frappées par la concurrence étrangère, ces industries de main-d'œuvre donnent des signes inquiétants de fragilité. Néanmoins, l'imagination est au pouvoir pour dénicher les débouchés commerciaux plus rentables.

En effet, les Mauges c'est d'abord et avant tout un esprit. Issue des patronages d'antan, une mentalité particulière persiste et irrigue les milieux sociaux vers l'action et la solidarité. Plus connue, via le petit écran, la réussite sportive de Cholet-Basket repose sur le même état d'esprit. C'est toute une jeunesse qui, dans la cour des grands d'Europe, montre la fierté de son attachement à des racines ancestrales et entend prouver son talent au plus haut niveau.

A Saint-Florent-le-Vieil, le tombeau de Bonchamps, remarquable par sa statue de marbre blanc, a trouvé sa place dans l'église abbatiale. Sous le cœur de l'église datant du XIXe siècle, une crypte abrite reliques et documents sur l'histoire de la commune.

Page de gauche :
*A Bouzillé, un lieu
de fraicheur on ne peut
plus nature :
la boire Sainte-Catherine.*

*L'église abbatiale
de Saint-Florent-le-Vieil.*

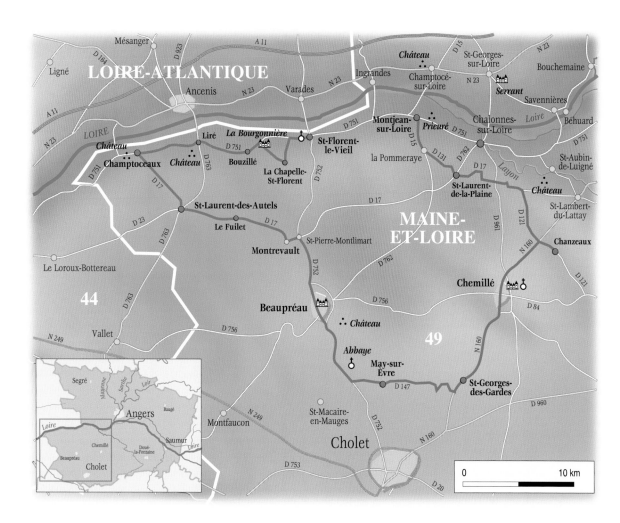

De l'origine médiévale de cet édifice, il ne reste plus que le portail latéral. Comme beaucoup de monuments angevins, il a été restauré après la Révolution, ce qui a permis de réhabiliter la façade, la sacristie, la nef et même le clocher.

En septembre 1793, la ville de Torfou a vu la victoire de l'armée vendéenne, qui un mois plus tard fut anéantie par les Républicains à Cholet. La paix ne fut conclue que huit ans plus tard, de longues années pendant lesquelles le pays des Mauges fut dévasté. De cette période sanglante, on évoque souvent l'œuvre de David d'Angers, rendant ainsi son hommage au chef vendéen Bonchamps, qui, bien que mortellement blessé le 17 octobre à Cholet, fit libérer cinq mille Républicains, dont le propre père de l'illustre sculpteur.

Derrière la petite porte en bois située à droite de la façade lorsqu'on y fait face, on joue régulièrement à la boule de sable. Le jeu consiste à lancer des boules de chêne vert dans des bacs de sable de Loire, parfois à l'aide des deux mains ; un sport méconnu qui a des règles bien établies, surtout celle de la convivialité.

De l'autre côté du parvis, se dresse la colonne rappelant le passage de la

Le tombeau du général Bonchamps « Grâce aux prisonniers », dans l'église de Saint-Florent-le-Vieil.

GRÂCE AUX PRISONNIERS !

*La promenade de Champalud
à Champtoceaux.*

*À Saint-Florent-le-Vieil,
le mont Glonne
vu depuis la Loire.*

duchesse d'Angoulême le 22 septembre 1823. A 45 mètres au-dessus de la Loire, le regard balaye la vaste plaine jusqu'aux limites de la Bretagne. C'est là, sur le mont Glonne, que fut fondée la première communauté monastique par saint Florent. Au VIe siècle, une première abbaye fut construite par des moines sur les reliques du saint ; mais devant fuir les invasions normandes, ce n'est qu'à la fin du Xe siècle qu'ils revinrent pour se fixer près de Saumur. Un siècle plus tard, regagnant le mont Glonne, ils établirent alors un de leurs prieurés, Saint-Florent-le-Vieil. A ses pieds coule la Loire, contournant l'île Batailleuse et longeant en face le petit village de pêcheurs de la Meilleraie.

A quelques mètres de l'église, à la ferme abbatiale des coteaux, le carrefour touristique et culturel a pour vocation de faire connaître le site à travers des expositions ou des animations. La ville elle-même mérite bien une balade à pied au hasard de ses ruelles un peu pentues, le long desquelles se dressent de très anciennes maisons. Sur l'une d'elles, en bas de la ville, une plaque rappelle la mort du général vendéen Cathelineau, le 14 juillet 1793.

Né au Pin-en-Mauges, cet homme du peuple, voiturier dans son village, est choisi par les villageois pour prendre la tête des troupes en 1793. Premier généralissime élu du territoire insurgé, il est rapidement surnommé le « saint de l'Anjou ». Mortellement blessé le 24 juin 1793 à 34 ans, il est inhumé dans son village natal. Dans l'église, des vitraux relatant les guerres de Vendée et surtout celui dont les historiens s'accordent pour dire qu'il fut l'âme de l'insurrection.

LA GUERRE FRATRICIDE DE L'ANJOU

Nous sommes en 1793. Depuis 1789, la France, monarchie ancienne, connaît une suite de bouleversements sans précédent. Le roi Louis XVI n'est plus seul maître : depuis que les Etats généraux se sont transformés en Assemblée nationale, il partage le pouvoir

*La statue de Jacques
Cathelineau
au Pin-en-Mauges.*

avec les représentants du peuple. Une nouvelle organisation territoriale est proposée aux Français : départements, districts, cantons et communes. La Justice, l'Eglise et l'Administration sont réorganisées. Mais l'année 1792 voit s'accumuler les difficultés. Le pain est rare et très cher. De nouveaux impôts ont remplacé les anciennes contributions.

Dans les campagnes, les paysans sont amers : ils n'ont pas bénéficié de la vente des biens de l'Eglise. La question religieuse a cristallisé leur mécontentement : la Constitution civile du clergé, votée le 12 juillet 1790, a fait de chaque département un diocèse et a affecté un curé aux nouvelles paroisses. Elus et rétribués par la nation, les prêtres doivent en contrepartie prêter serment. Mais ces mesures se heurtent au refus du pape Pie VI et à la protestation de nombreux évêques.

Dès 1791, les prêtres se divisent en « réfractaires » et en « jureurs » et alors qu'apparaissent les premiers rassemblements organisés à Maulévrier et à Saint-Laurent-de-la-Plaine, les insermentés sont arrêtés puis déportés. Les ennemis de l'intérieur combattus, les ennemis de l'extérieur contenus, l'Assemblée veut faire table rase du passé ; pour la Révolution, le point de non-retour semble franchi.

L'Anjou s'enflamme refusant les sacrifices que lui impose la République. Une levée de trois cent mille hommes tirés au sort parmi les célibataires de chaque commune est imposée. De véritables émeutes éclatent partout dans le pays. En Anjou, dès les premiers jours du mois de mars, des attroupements et manifestations hostiles se déroulent à Cholet. Le 9, la mairie de Chanzeaux est pillée et le 12, Saint-Florent-le-Vieil, Rochefort et Maulévrier sont tenus par les insurgés. Le 13 mars, Chemillé, Beaupréau et Vezins tombent à leur tour. Le 14, la prise du château de Jallais livre aux rebelles son canon. La bataille fait rage à Cholet, et alors que la Convention décrète hors la loi tout citoyen convaincu d'avoir pactisé avec l'ennemi, les administrateurs des districts insurgés se réfugient à Angers. Les contours du pays « blanc » sont désormais tracés.

Les « Vendéens » sont nombreux, sans doute, 140 000 hommes. Troupe instable, ils se groupent au signal d'un clocher ou d'un moulin. Leurs chefs ont pour noms Cathelineau, Bonchamps, d'Elbée, de la Rochejacquelein. Ils seront rejoints par Stofflet. Le 11 avril, d'Elbée tient Chemillé jusqu'à la nuit quand les gardes nationaux lâchent prise. La victoire est acquise et le grand choc s'achève par le Pater et la grâce accordée aux « Bleus ». Les succès se multiplient : la prise de Thouars du 5 mai fait dire à Tallien devant la Convention : « Ce n'est plus une insurrection, c'est une guerre civile. »

Bientôt, Fontenay capitule à son tour le 25 mai. La grande armée catholique a pris la route de Saumur et ce ne sont pas moins de 5000 prisonniers qui sont abandonnés par les troupes républicaines fuyant par les ponts de la Loire. La grande armée semble invincible. La prise de Saumur a ouvert la route d'Angers. Les Vendéens entrent dans la ville le 17 juin,

G. Bourgain Et
à monsieur Roussin
La seule esquisse de mes dessins, qui me reste

libèrent les prisonniers et détruisent les plus voyants des signes républicains. Nantes menacée, la Convention y dépêche le général Biron. Les Vendéens mènent l'assaut le 28 juin. Cathelineau est mortellement blessé et rend un dernier soupir le 14 juillet. C'est le repli et la dispersion.

LA RAISON DU PLUS FORT

Malgré cette victoire, la Convention accuse ses chefs d'incompétence. Les combats se poursuivent sans unité. Repoussés le 15 juillet à Martigné-Briand, les soldats-paysans sont vainqueurs à Vihiers. Puis le 26 juillet, le général d'Autichamp se heurte à la garnison postée sur la hauteur de la roche de Mûrs. Les républicains acculés sont précipités dans le Louet du haut de la falaise. Le 28 juillet, la

Les guerres de Vendée : Jean-Nicolas Stofflet

Dès 1793, il dirige différentes troupes de l'armée vendéenne et en 1794, la disparition de la plupart des grands chefs lui permet d'accéder au commandement suprême et de reconstituer une grande armée. Mais ses ambitions hégémoniques le maintiennent dans une rivalité quasi permanente avec Charette et affaiblissent sa position politique. Obligé d'accepter à Saint-Florent-le-Vieil la paix que Charette signe au nom de tous les combattants vendéens, il reprend la lutte deux mois plus tard. Elle le conduit à son arrestation, puis à sa mort à Angers où il est fusillé, le 25 février 1796.

reprise du château des Ponts-de-Cé parachève le succès.

Face à l'Armée catholique, on dépêche l'armée de Mayence. Le comité révolutionnaire est chargé de la surveillance et de l'arrestation des suspects. Tirés des prisons surchargées, les détenus sont conduits au Port de l'Ancre pour y être fusillés, ou

*L'Evre chantée
par Julien Gracq.*

*Le moulin de l'Epinay
à La Chapelle-Saint-Florent.*

traînés à la guillotine, dressée sur l'actuelle place du Ralliement.

En octobre 1793, la nouvelle armée part à la reconquête de l'Ouest. Le 17, les deux partis sont face à face : Kléber et Marceau, Bonchamps, d'Elbée et la Rochejacquelein. Sur le soir, Bonchamp s'effondre mortellement blessé. D'Elbée est touché à son tour et les Vendéens s'élancent vers la Loire dont le passage leur fournit un répit provisoire. Resté seul, La Rochejacquelein part avec 100 000 Vendéens pour un long périple, la virée de Galerne, espérant rallier la côte normande pour recevoir des secours. Mais l'échec devant Granville marque la fin du rêve vendéen.

L'engrenage de la violence entraîne le massacre. Le vent tournant, ce sont les armées républicaines qui se chargent de pacifier cette armée rebelle. Villages, fermes, familles, rien n'est épargné pour que la jeune république affirme, dans le sang, son autorité incontestable. Le général Turreau ordonne la destruction de la Vendée. Les hommes sont impitoyables et nombre de communes en gardent encore aujourd'hui la marque. Réduits au désespoir, les Vendéens préfèrent courir le risque des combats. Les derniers combattants se sont réunis autour de Stofflet et Charette et infligent aux tortionnaires des revers d'autant plus sévères qu'ils n'ont d'autre choix que de se battre ou mourir. La Terreur s'achève ; la résistance vendéenne est recomposée, mais les combattants sont épuisés. Les combats se poursuivent sporadiquement jusqu'en 1832, date à laquelle la duchesse de Berry tente une dernière restauration monarchique avec le jeune duc de Bordeaux… mais les forces ne sont plus là…

24

Non loin de là, à La Chapelle-Saint-Florent, l'épaisse végétation du cirque naturel de Courossé abrite le château de la Baronnière, où vécut le chef vendéen Bonchamps. Dans cette région reconnue pour sa ferveur religieuse, on n'est pas étonné de trouver sur le parcours un calvaire ou une reproduction

comme autrefois. Doté des fameuses ailes Berton, il possède en plus un moulinet d'orientation.

A Bouzillé, le château de la Bourgonnière n'est qu'un aperçu de la richesse du patrimoine des Mauges. Construit au XVe siècle, il ne restait plus après la Révolution qu'un imposant donjon et

de Notre-Dame-de-Lourdes. C'est un lieu de promenade désormais apprécié par les gens des Mauges, certains y trouvent un intérêt botanique par la présence de très anciens végétaux.

Parmi plus de neuf cents moulins que comptait l'Anjou au siècle dernier, le moulin de l'Epinay est devenu un spécimen culturel. Après avoir subi un important travail de restauration, ce moulin à vent moud le grain

une tourelle. Il fut donc reconstruit en grande partie au XIXe siècle, en style Empire. La chapelle du XVIe siècle se distingue par ses voûtes ornées, mais surtout par des sculptures de la vierge et d'un Christ habillé en robe d'or et couronné. Une très rare représentation du Christ, dont on ne connaît qu'une dizaine d'exemplaires dans le monde, notamment à la cathédrale d'Amiens et à Lucques, en Italie.

Le château de la Bourgonnière à Bouzillé.

Vu par l'artiste

« Les fermes que j'ai connues pendant un demi-siècle, emmurées par les haies, hostiles et soupçonneuses, remparées de clôtures d'épines, alertées de loin contre toute approche par des abois de chiens hargneux, semblent cligner de toutes leurs fenêtres comme une bonne auberge, dérouler de loin un tapis vert jusqu'au bord de la route pour inviter la flânerie du passant. Toute la contrée des Mauges me fait penser quand je m'y promène à une demeure longtemps endeuillée qui une à une rouvrirait ses fenêtres ; un ban semble levé qui pesait sur cette terre méfiante et sauvage ; on enlève les housses, les maisons blanches sont nues et claires dans l'air qui les baigne comme une lessive de printemps. »

Julien Gracq, Lettrines II

Les ruines du château de Joachim du Bellay à Liré.

La statue de Joachim du Bellay à Liré.
« Plus mon Loire gaulois que le Tibre latin
Plus mon petit Liré que le mont Palatin
Et plus que l'air marin la douceur angevine. »

A Liré, le nouveau château de la Turmelière, du XIXe siècle, masque la demeure de Joachim du Bellay. L'ancien château ne présente plus que quelques ruines donnant sur une paisible campagne si chère au grand homme. Pour en savoir plus sur le poète, c'est rue du Grand-Logis qu'il faut se rendre, au musée portant son nom. Dans cette jolie demeure du XVIe siècle, on y retrace sa vie et son œuvre.

C'est à Champtoceaux que l'on retrouve la Loire. Si aujourd'hui la ville est devenue un vaste balcon dominant le fleuve à plus de 80 mètres, le château y fut construit à l'origine pour des raisons évidentes de position stratégique. Nommée alors forteresse de « Châteauceaux »,

Le péage du Cul-du-Moulin ; un duit oblique barrait la Loire, obligeant les bateaux à passer sous le pont.

26

sa situation aux limites de l'Anjou, de la Bretagne et du Poitou la rendait précieuse pour tous les conquérants. Mais, pour avoir été emprisonné en ce lieu par Marguerite de Blois, Jean V, duc de Bretagne, ordonna son « arasement jusque pleine terre » et il ne reste désormais plus grand-chose de l'ancienne ville. On peut toutefois y chercher la porte de la ville, quelques tours de la citadelle, une chapelle romane et la tour Gloriette. Mais c'est surtout la promenade ombragée de Champalud qui vaut vraiment le détour, afin d'y contempler tranquillement le fleuve. Plus près de l'eau, on peut découvrir ensuite le péage du Cul-du-Moulin, datant du XIIIe siècle ; un des deux seuls péages fortifiés existants encore en France.

Un peu plus en amont, La Patache était un village de mariniers. Aujourd'hui, il a pris des allures de port de plaisance mais garde toutefois son aspect pittoresque grâce aux petites maisons accrochées au massif rocheux.

À l'écart des routes historiques, les Mauges possèdent un vrai cachet, une part du charme de la Toscane.

La Patache, ancien port de mariniers aux allures estivales.

Démonstration au village des potiers du Fuilet.

C'est au Fuilet dans le village potier que l'on retrouve un savoir-faire datant du Moyen Age. Le village atteint son apogée au XIXe siècle. Puis, le nombre d'ateliers a diminué progressivement ; il n'en reste plus que onze aujourd'hui. Répondant surtout aux besoins horticoles de la région, les potiers du Fuilet ont toutefois su conserver une image de qualité, notamment grâce à la persistance de la production à l'ancienne.

Depuis quelques années, la « Maison du Potier » prend à cœur son rôle pédagogique. Dans cet espace consacré à la

Le jardin des plantes médicinales et aromatiques à Chemillé.

L'industrie de la chaussure est un secteur important de l'économie des Mauges.

Ayant dans cette direction presque atteint les limites de l'Anjou, c'est en plongeant dans le cœur des Mauges que l'on découvre particulièrement l'aspect de ce pays. Le plus typique, ce sont les tuiles canal qui coiffent les fermes basses de schiste ou de granit. Dans la campagne généreuse environnante poussent volontiers céréales et arbres fruitiers. L'élevage de bovins est dense dans ces grasses prairies bordées de haies.

A Saint-Laurent-des-Autels, à la Coulée de Cerf, plus de cent animaux divers sont réunis dans une vaste ferme, un concentré de faune campagnarde que les citadins peuvent découvrir le long d'un circuit fléché. Dans de beaux bâtiments sont exposés pressoirs et alambics, charrettes et carrioles.

poterie, toutes les étapes de la fabrication sont expliquées et mises en image, depuis l'extraction de l'argile jusqu'à la cuisson des objets.

LA TERRE QUI TOURNE

A certaines heures, un potier fabrique devant vous de ses mains habiles ; une démonstration à ne pas manquer. Par beau temps, on peut ensuite compléter la visite en suivant le chemin qu'empruntaient les potiers pour livrer leur marchandise.

Sur les bords de l'Evre, Beaupréau préserve son imposant château du Xᵉ siècle, qui fut brûlé à la Révolution et restauré au XIXᵉ siècle. Ville de résidence de d'Elbée, c'est en 1793 que deux mille paysans vinrent le chercher pour mener le combat. En passant par Le May-sur-Evre, où l'on peut s'attarder à l'église, on rejoint Saint-Georges-des-Gardes, point culminant de l'Anjou, avec 170 mètres de haut.

La renommée de Chemillé repose surtout sur son jardin de plantes médicinales et aromatiques, situé au pied de l'hôtel de ville. Plus de trois cents espèces y sont plantées, exhalant un léger parfum, surtout si on le visite entre la mi-mai et la mi-octobre. Juste à côté, le centre de documentation « l'Albarel » dévoile tous les aspects de la production. On y consulte aussi des ouvrages et des études sur les plantes, afin de connaître les vertus de la mélisse ou de la sauge, ou la composition de l'eau de la Reine de Hongrie. Pourtant, on ne saurait réduire Chemillé, « porte des Mauges », à un jardin, aussi beau soit-il. Par son origine très ancienne — en 775, une charte de Charlemagne l'a nommée « Villa Camilliacus » — Chemillé possède un intéressant patrimoine. La ville est divisée en deux parties. D'abord Saint-Pierre-de-Chemillé qui fut le village primitif et le quartier Notre-Dame, qui s'est développé autour du château. La nouvelle église Notre-Dame fut édifiée de 1880 à 1883 par l'architecte Dainville, auteur de l'église Saint-Laud d'Angers, et consacrée en 1884 par Mgr Freppel. Les beaux vitraux du XIXᵉ siècle retracent l'histoire de la ville. La forteresse, construite à partir du XIᵉ siècle, avait pour mission de défendre l'Anjou du Poitou. Elle fut détruite en grande partie au XVIᵉ siècle

Les peintures murales en l'église Saint-Pierre de Chanzeaux ont été réalisées en 1939 et 1946. Elles commémorent le passage des « colonnes infernales » le 25 janvier 1794 où seules trois maisons furent totalement épargnées lors de l'incendie du village.

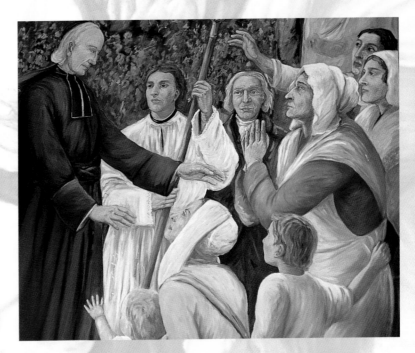

pendant les guerres de Religion. A la Révolution, Chemillé se trouve au cœur des combats entre Vendéens et Républicains. Le 11 avril 1793, sous la conduite de Cathelineau et de d'Elbée, les Vendéens sont vainqueurs des Républicains de Berruyer et de Duhoux après neuf heures de combats.

Avant de remonter vers la Loire, un détour par l'église de Chanzeaux montre une nouvelle fois l'importance

Le château de Beaupréau.

La Montjeannaise
fait revivre le fleuve.

des guerres de Vendée dans le pays de Mauges à travers ses vitraux de Clamens et ses fresques de Livache.

Tout comme le Fuilet, Saint-Laurent-de-la-Plaine valorise le passé à travers la reconstitution de tout un village, soit plus de trente mille objets répartis autour du maréchalferrant, de la repasseuse ou du maître d'école... L'extraction et la transformation du tuffeau, de l'ardoise et du granit, le tissage de la toile de Cholet ou bien le travail de la

*La Cité des métiers de tradition
à Saint-Laurent-de-la-Plaine.*

On tente à nouveau de ralentir les courants de la Loire en reprenant les techniques anciennes.

vigne, du lin ou du chanvre sont également représentés ici, rappelant les richesses de l'Anjou durant des siècles.

A quelques lieues de là, Montjean-sur-Loire se spécialisa longtemps dans la culture et le traitement du chanvre. Tous les ans à même époque, on reproduit tout un week-end les gestes d'an-

Gabarres, toues et autres futreaux constituent un pan du patrimoine ligérien qu'il convient de continuer à faire vivre.

tan afin d'en récupérer la fibre. Pendant ce temps, la gabare « La Montjeannaise », reconstitution du chaland de 1830, navigue sur le fleuve comme le faisaient autrefois les nombreux bateaux qui accostaient dans ce port actif. Autrefois commune de grande activité économique, elle doit aussi cet essor à ses dix-sept fours à chaux, situés pour la plupart à Chateaupanne. Les quelques fours restants sont un peu difficiles à trouver ; toutefois certains ont été restaurés, trouvant une deuxième vie dans un cadre verdoyant très agréable. Pour en savoir plus, une visite à l'écomusée s'impose ; on vous indiquera aussi le parcours des vignes et des fours à chaux.

C h o l e t
et ses environs

Saint-André-de-la-Marche - Maulévrier

Capitale des Mauges, la ville de Cholet doit sa renommée au textile, et plus particulièrement à ses célèbres mouchoirs rouges. La région choletaise était prédisposée à une industrialisation considérable si l'on tient compte des traces de la culture et du tissage du lin dans les Mauges dès le XIe siècle, et à l'apparition de nombreux tisserands dès le XVe siècle.

Au XVIIIe siècle, l'activité textile prend son essor avec la « manufacture » de Cholet qui s'étend alors sur une soixantaine de paroisses et produit quatorze mille douzaines de mouchoirs et quinze mille pièces de toile par an. Une expérience de plusieurs siècles de filage, de tissage et de blanchiment des toiles serait peut-être tombée dans l'oubli sans le musée du textile, sur la route de Beaupréau. Reconstitué dans les murs de l'usine elle-même, on peut s'initier aux techniques d'ennoblissement — celles-ci ayant d'ailleurs considérablement évolué à partir de la fin du XVIIIe siècle — et au tissage. Différents métiers, de plus en plus récents et sophistiqués, permettent de mesurer l'évolution du travail et de la productivité.

Le musée a tout naturellement trouvé sa place dans l'ancienne blanchisserie de la Rivière Sauvageau. Elle est mentionnée dès la fin du XVIIIe siècle dans le dossier du procès des blanchisseurs choletais. Ceux-ci n'avaient pas respecté les règlements de fabrication établis en 1748. Pour réglementer la fabrique textile, une ordonnance royale avait instauré quatre-vingt-cinq articles déterminant

Page de gauche :
L'église Notre-Dame à Cholet.

Le musée du Textile à Cholet. « A l'avant-garde marchait le plus souvent un autre jeune homme, cousin de Lescure, Henri de la Rochejaquelein, monsieur Henri, comme l'appelaient les paysans. Il portait au col un mouchoir rouge ; toute l'armée en porta. » Jules Michelet.

La place Travot à Cholet ;
le théâtre.

L'église du Sacré-Cœur
à Cholet.

la nature et le nombre de fils, les techniques de production et les sanctions en cas de non-respect.

On peut imaginer les vastes prairies d'étendage, l'étang, les citernes, les pompes et quelques « ouvroirs » qui abritaient les manutentions en cuve et les opérations de lavage. C'est à cet endroit que furent élevés un siècle plus tard les bâtiments que l'on connaît aujourd'hui.

Le 17 juin 1881, Calixte Ouvrard est autorisé à construire une usine pour le blanchiment des toiles de fils. L'implantation, à cet endroit isolé à l'époque, d'un établissement de blanchiment est

peut-être simplement liée à des disponibilités de terrain. Toutefois, sa présence et surtout son évidente recherche architecturale ne pouvaient pas être neutres à Cholet en cette fin du XIXe siècle où l'ensemble des paysages dans un rayon de 30 kilomètres autour de la ville était marqué par l'activité textile.

Les bâtiments étaient alors entourés de plus de 6 hectares de prés d'étendage, parcourus de rails sur lesquels on poussait les wagonnets transportant les toiles à blanchir. De hauts murs de pierre protégeaient de la convoitise les toiles étendues.

Le déclin de l'industrie textile a laissé place au XIXe siècle à la création de fabrication de pantoufles puis de chaussures redistribuant l'emploi sur ce nouveau secteur d'activité. Pendant longtemps, l'industrie choletaise de la chaussure a occupé le premier rang avec 30 % de la production française. Face à la concurrence étrangère, des groupes se sont créés, maintenant l'activité prédominante des Mauges, qui emploie plus de dix mille salariés dans le Maine-et-Loire. Enfin, l'industrie de la confection s'est imposée employant plus de quatre mille personnes. Très connus, les magasins d'usines déplacent sur les abords de la ville de nombreux adeptes des prix bas.

TENIR À TOUT PRIX

A Saint-André-de-la-Marche — on ne pouvait trouver un nom de lieu plus pertinent — le musée de la Chaussure rassemble toute une collection de machines, d'outils, de chaussures, de livres et de documents permettant de cerner l'évolution d'une industrie qui a vraiment su s'imposer dans le grand choletais. Dans cet ancien atelier restauré, toutes les étapes de la fabrication de la chaussure sont respectées. Le lieu semble prêt à s'animer, racontant comment hier a fait aujourd'hui.

Dans le centre de Cholet, la place Travot fut pendant longtemps le cœur de la ville, lieu de toutes ses manifestations. Créée en 1836, cette grande esplanade avait pour vocation d'unir les deux centres historiques de Notre-Dame et de Saint-Pierre.

L'église Notre-Dame de Cholet fut édifiée à la place d'un prieuré fondé par des religieux de Saint-Michel-en-l'Herm. Préservée des destructions de la Révolution et des guerres de Vendée, ce sont les dommages du temps qui menacent l'édifice.

Au début du XIXe siècle, on entreprend alors de la rebâtir, mais le nombre de fidèles augmentant, elle devient trop étroite, surtout les jours de grandes cérémonies. En 1854, commence la reconstruction de l'église dans un style néo-gothique. Après bien des déboires, Notre-Dame atteint sa splendeur qui lui vaut encore parfois d'être appelée « cathédrale ».

L'église Saint-Pierre fut reconstruite au XIXe siècle en style néo-gothique, remplaçant peu à peu l'ancienne église romane. Comme pour l'église Notre-Dame, le chœur et les chapelles latérales furent édifiées avant la destruction de l'ancienne nef.

A la fin des années trente, la création d'une nouvelle paroisse fit naître l'église du Sacré-Cœur. Pensé par Maurice Laurentin, l'imposant édifice, assemblage de briques, de granit bleu et de pierre poitevine, flamboie dans le quartier du boulevard Guy-Chouteau.

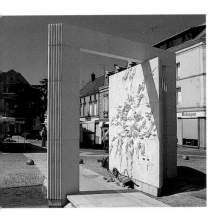

Près du mail, un bâtiment à l'architecture remarquable abrite le musée d'Art et d'Histoire. Il relate les événements qui, de l'époque gallo-romaine jusqu'au début du XXe siècle, ont marqué le destin de Cholet. Une place particulière est donnée aux guerres de Vendée.

Le jardin du Mail est un lieu de promenade agréable entièrement créé au siècle dernier. Une cascade artificielle donne un surplus de fraîcheur parmi les massifs de fleurs et les bassins.

Le parc de Maulévrier ; Alexandre Marcel réutilisa des fabriques exposées à l'Exposition universelle de Paris.

A quelques kilomètres de Cholet, tout à fait insolite, le parc oriental de Maulévrier est l'œuvre d'Alexandre Marcel. Depuis un siècle, il offre une occasion unique de rencontrer une nouvelle culture et ainsi de s'initier à la philosophie orientale.

UNE CURIOSITÉ ASIATIQUE

Le choix de Maulévrier peut provenir de la configuration de son parc, traversé par la Moine d'est en ouest. En effet, la première caractéristique du jardin japonais est d'être traversé par un cours d'eau. Ensuite, un étang de près de 2 hectares fut aménagé. En bordure de celui-ci, deux îles furent créées, l'île de la Grue et l'île de la Tortue, deux symboles du paradis terrestre.

Le cours de la rivière fut aussi réaménagé, l'eau devant se transformer trois fois dans le jardin : en cascade, en étang et en ruisseau. Plus tard, l'ensemble des fabriques — l'embarcadère, le pont, la lanterne, la corne d'or... — fut mis en place. Une abondante flore fut plantée : cent trente espèces exotiques, dont certaines très rares en Europe.

L'histoire du parc reste cependant indissociable de celle du château Colbert. C'est en 1664, que Edouard-François Colbert, troisième frère du grand ministre de Louis XIV, rachète le parc et le château, fixant ainsi les Colbert à Maulévrier. Ce choix a eu une importance considérable pour les Mauges puisque cette famille est à l'origine du développement de l'industrie textile dans le Choletais.

Chef-lieu de canton rural, Vihiers a choisi un style futuriste pour l'aménagement du centre-ville.

Le Segréen
et le Loire-Béconnais

Aux marches de la Bretagne, le haut Anjou offre des paysages différents des autres régions angevines, notamment par la persistance du bocage dont les haies rythment l'horizon.

Le Segréen est aussi une région minière en mal de reconversion dont le paysage a hérité de quelques promontoires détonnant dans le paysage verdoyant alentour.

Mais la principale particularité du nord-ouest du département est l'élevage des chevaux que l'on peut voir en liberté dans de nombreux pâturages, agrémentés de beaux pommiers, puisque, sacrilège dans une région viticole réputée, le haut Anjou est une terre à cidre que l'on peut déguster un peu partout avec modération.

LE SEGRÉEN
SEGRÉ - LA CHAPELLE-SUR-OUDON
LA FERRIÈRE-DE-FLÉE - CHÂTELAIS
NYOISEAU - BOURG-D'IRÉ
SAINTE-GEMMES-D'ANDIGNÉ
NOYANT-LA-GRAVOYÈRE -
BEL-AIR DE-COMBRÉE - POUANCÉ
CANDÉ - CHALLAINS-LA-POTHERIE
CHAZÉ-SUR-ARGOS - MARANS

Le Segréen reste marqué par des siècles d'exploitation de l'ardoise et du fer. Si Trélazé, pays des mines et de l'ardoise, est certes le site le plus renommé, il n'est pourtant pas le seul.

Page de gauche :
Au Mondial du Lion, la très stylée épreuve de dressage.

Jardins du château de La Lorie.

37

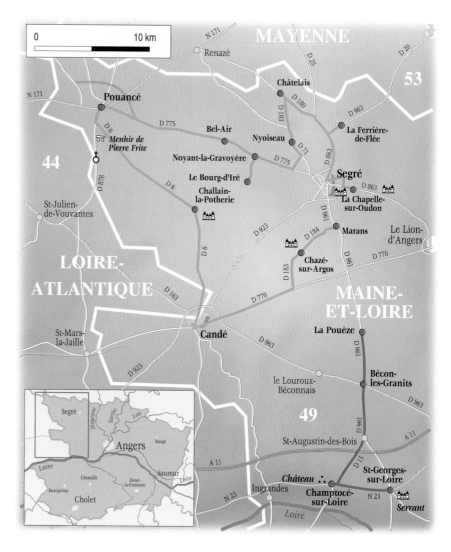

La fente d'ardoise : un savoir-faire que beaucoup ne veulent pas laisser mourir.

Le Segréen, terre minière ! Voilà qui peut surprendre le passant d'aujourd'hui à qui il est difficile d'imaginer que les sous-sols de ses paysages de bocage sont parcourus de nombreuses galeries, et qu'il y a seulement quelques dizaines d'années sept mille mineurs descendaient chaque jour au fond. A Noyant-la-Gravoyère, ils ne sont plus qu'une petite centaine de mineurs et seule une mine d'ardoise fonctionne encore.

La ville de Segré a elle-même gardé quelques vestiges de cette période faste, comme les chevalements qui permettaient la descente du minerai

Le cœur de Segré traversé par l'Oudon, vu depuis le rocher.

vers l'Oudon quand le transport se faisait encore par bateau, ou encore d'anciennes maisons d'exploitants des
mines. Cette petite ville teintée du
gris bleuté des ardoises a toutefois
gardé un charme particulier, mais ne
reste pas pour autant en proie à la nostalgie. Son centre culturel accueille
durant l'année des ensembles musi-
caux ou troupes de théâtre et de
danse, des expositions, programme
varié qu'un festival maintenant
renommé vient compléter en hiver.

Il faut dire que Segré n'a pas de
monument exceptionnel à montrer,
excepté peut-être l'église de la Madeleine, dont les vitraux classés sont du
maître verrier Jean Clamens. Les trois
vitraux du chœur retracent les trois
grandes étapes de la vie de sainte Madeleine. En flânant le long de la rivière,
on a un très beau point de vue sur l'édifice et sur le centre-ville, dans lequel on
remarque quelques maisons pittoresques en schiste. La motte féodale est
le vestige le plus ancien de la cité.

Les vitraux de l'église de la Madeleine.

À gauche :
*Le Dôme de l'église de La Madeleine
et ses reflets dans l'Oudon.*

L'invitation à la promenade sur les bords de l'Oudon à Segré.

C'est juste à la sortie de Segré que l'on trouve le premier château à La Chapelle-sur-Oudon, en direction d'Angers. Au milieu de ses jardins à la française, le château de la Lorie fait partie des édifices somptueux contrastant avec le paysage modeste du Segréen.

Il se compose de trois bâtiments. René le Pelletier construisit le premier au XVIIe siècle et ce n'est qu'à la fin du XVIIIe siècle que furent rajoutées les deux ailes et les communs. A l'intérieur, la décoration est riche : des boiseries du XVIIe siècle, un salon de marbre réalisé au XVIIIe siècle par des artistes italiens et une importante collection de vases de Chine.

Le château de la Ferrière de Flée abrite depuis un certain nombre d'années un bien curieux musée. Sur une idée du livre « Le Voyage de Gulliver », lors du naufrage sur une île où les hommes ne mesurent que quelques centimètres, la collection est entièrement composée de poupées et d'objets miniatures parfois très anciens et provenant de dix-sept pays différents.

A la limite du Segréen, le petit village de Châtelais se fait discret. Il apporte pourtant bien des témoignages de la présence de l'homme en Anjou, depuis les âges les plus anciens. Ainsi, outre les beaux points de vue sur la vallée de l'Oudon et ses bocages, des nombreux vestiges agré-

Le château de la Lorie à La Chapelle-sur-Oudon.

mentent un parcours instructif dans Châtelais et ses environs.

Le menhir du domaine des Suzonnières, en direction de Marcillé, l'oppidum de l'époque celtique, les restes de la voie antique reliant Rennes à Angers, la forteresse de Châtelais, dont les guerres de Religion n'ont laissé que quelques pierres, la motte féodale des xe et xiie siècles, l'église du xiie siècle et son ancien logis du xviie siècle deviennent autant de clefs à remonter le temps. Le musée, quant à lui, garde précieusement des objets familiers ou précieux retrouvés dans des sépultures d'une nécropole de l'époque mérovingienne, révélée lors de travaux.

COMME DANS LE TEMPS

En redescendant vers Noyant-la-Gravoyère par Nyoiseau, on entre dans le cœur des sites miniers. Avant

de parcourir les terres du « Segréen noir » et un peu à l'écart de celle qui doit son nom à « nid d'oiseau », le domaine de « la petite couère » nous plonge dans son village-musée, trouvant ici ses racines à partir d'anciens corps de ferme, auxquels sont venues s'ajouter peu à peu des constructions nouvelles, conformes au style segréen. Dix mille objets y sont rassemblés, composant en détail un ancien village, ou des collections étonnantes de voitures, de cycles ou de tracteurs, dans un environnement de prairies, de futaies et de bois, où vivent plus de deux cents animaux à plumes ou à quatre pattes.

La petite Couère à Nyoiseau :
la place du village avec
les boutiques comme autrefois.

En haut à gauche :
Le Segréen, lieu d'élevage
traditionnel, compte
sur l'agroalimentaire
pour assurer son avenir.

La petite Couère : des
collections impressionnantes
comme celle des voitures
d'avant-guerre.

Chevalement désormais en proie à la rouille.

Au cours du temps, Nyoiseau s'est enrichie de l'abbaye du Moustier-Notre-Dame fondée au XIIe siècle, mais dont on ne voit plus que les vestiges, d'une église paroissiale du XVIIe siècle et du château d'Orveaux du XIXe siècle.

Rue Geneviève-Verger dans la cité de Bois 2 ; on remarque la symétrie des habitations et la chapelle au bout de la rue.

Sur la commune de Nyoiseau encore, à mi-chemin entre Segré et Noyant-la-Gravoyère, se trouve l'ancienne cité minière de Brèges. Tout près, les anciens puits de fer et les cités de Bois 1, 2 et 3 maintiennent le souvenir d'une époque révolue. Les chevalements font figure de curiosité mais les habitations sont restées chères au cœur des habitants. Ainsi, les cent dix-huit logements de la cité ouvrière alors gérée par la Société des Mines de Fer de Segré ont été mis en vente après la fermeture de l'exploitation en 1985. La cité possède une salle des fêtes, où l'on célèbre encore chaque année la Sainte-Barbe.

siècle, l'installation d'une usine sur le site favorisa son développement. Site encore en activité mais non visitable, il est exploité aujourd'hui par la Société des Ardoisières d'Angers. Des ardoisières de la Gâtelière, il ne reste aujourd'hui que des monticules d'ardoises qui renforcent l'aspect abandonné du site.

Le village d'Andigné.

Pour que cette activité minière ne tombe tout à fait dans l'oubli, les Noyantais ont imaginé d'ouvrir un parcours souterrain à la visite, il y a une dizaine d'années. Après des débuts encourageants, les difficultés financières ont conduit à la fermeture de la « Mine bleue », site touristique pourtant unique en Europe avec son circuit de visite dans les véritables galeries d'extraction d'ardoise, à 126 m sous terre, et ses démonstrations de fente d'ardoise en surface.

Sur place, malgré les difficultés pour trouver de gros investisseurs publics ou privés, on veut croire que cet arrêt n'est que provisoire et que la

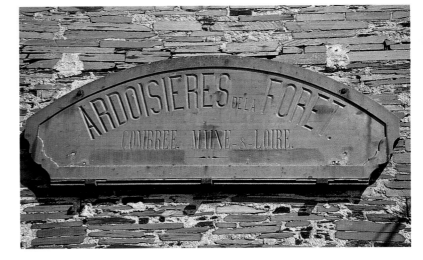

Le paysage est tout en contrastes comme à Bourg-d'Iré avec le château de la Douve du XIXe siècle et le château de la Mabourlière, construit également au XIXe siècle par l'architecte angevin René Hodé pour le comte de Falloux, rebaptisé château de Bellevue, ou à Sainte-Gemmes-d'Andigné avec le château de la Blanchaie des XVe, XVIe et XVIIIe siècles, les châteaux de la Chetardière et de la Dieusie, des XVIe et XVIIIe siècles.

En reprenant la départementale vers Pouancé, on longe le vélodrome en schiste inauguré en 1952.

Près de Noyant-la-Gravoyère, dans le village de Misengrain, les ardoisières datent du XVIIIe siècle. Au début du XIXe

Les anciennes ardoisières de la Forêt.

« Mine bleue » pourrait retrouver à terme sa raison d'être et attirer, de nouveau, plusieurs dizaines de milliers de visiteurs chaque année.

On ne peut quitter cet univers minier et ardoisier sans passer par Bel-Air de Combrée, tout près de la forêt d'Ombrée. Dans la rue de Bois-Long de la cité ardoisière construite à

Le château de Challain-la-Potherie.

rocheuse à la limite de l'Anjou et de la Bretagne lui conférait une place privilégiée. Son imposant château des XIIIe et XVe siècles, aujourd'hui en ruines, appartenait à Du Guesclin. Le tour d'enceinte permet d'y découvrir la tour de l'horloge du XVe siècle et l'église Saint-Aubin

À droite :
*Aux marches de la Bretagne,
le château de Pouancé connut
des heures glorieuses.*

la fin du XIXe siècle, de typiques habitations, caractéristiques pour leurs escaliers extérieurs, côtoient toujours, bien qu'abandonnées, la maison de « l'Ingénieur » et les « Ardoisières de la forêt », fermées aujourd'hui. De l'autre côté, en longeant l'usine, la cité ouvrière de Bois Long est encore habitée.

La forêt d'Ombrée est devenue un lieu de promenade prisé pour son intéressante réserve d'arbres et ses sentiers pédestres et de VTT.

Pouancé était une ancienne cité médiévale. Sa situation sur une butte

Pouancé est entourée d'étangs et de nombreux ruisseaux qui autrefois alimentaient les forges de la Prévière et les tanneries. Dans l'étang de Saint-Aubin, on pratique différents sports d'eau. L'hiver, un festival de cinéma de musique et de théâtre anime la ville.

Quelques kilomètres en redescendant vers Candé suffisent pour retrou-

ver le style particulier de l'architecte René Hodé.

Construit entre 1848 et 1854 à la demande de François de la Rochefoucault-Bayers, le château de Challain-la-Potherie a vite été surnommé le Chambord angevin. Au beau milieu du village, il est encore suffisamment intact pour donner au visiteur à imaginer cette demeure de rêve telle qu'elle a été voulue.

Avec ses multiples tours et tourelles, ses fenêtres et sculptures qui ornent les hauts murs de tuffeau, il témoigne parfaitement de cette faste période du XIXe siècle, qui incita largement à la construction de somptueux logis.

LA DOULEUR ANGEVINE

Dominé par cet imposant édifice, le village a pourtant continué de vivre comme les autres villages.

Dans un style plus délicat, le château de Raguin de Chazé-sur-Argos, se cache dans l'épais feuillage de la luxuriante végétation de son parc. Cette demeure Renaissance s'est surtout fait connaître avec la « chambre des amours », peinte en camaïeu de beiges et de bruns, toile de fond rehaussée de lettres et symboles or et rouges.

Le salon est décoré de bouquets de fleurs et d'acanthes, de paysages et de bustes de personnages antiques. Ce goût prononcé pour le raffinement, fit faire au propriétaire de l'époque, Guy du Bellay, de telles dépenses, que son fils Antoine fut contraint à la vente du château. Plusieurs fois revendu et modifié, les aménagements restèrent toujours conformes au style initial.

Le tour du Segréen ne saurait être complet sans un passage par Marans, à quelques kilomètres, village natal de l'architecte René Hodé devenant quelques années plus tard le témoin de l'enfance de l'écrivain Hervé Bazin.

Dans son premier roman autobiographique, « Vipère au poing », il raconte le combat qu'il livra à sa mère dans la propriété de famille, nommée aujourd'hui le Patis. Cette œuvre allait révéler le futur président de l'académie Goncourt et devait connaître une audience mondiale.

Le haut Anjou est une des grandes terres de l'Ouest pour l'élevage des chevaux.

À gauche :
Maisons en schiste à Candé.

Vu par l'ancien président de l'Académie Goncourt

« Le "temps couvert" dont parle la météo n'est ici qu'un relais entre deux averses : je connais mon pays, je sais ce que promet cette odeur de pierre mouillée qui glisse entre un tapis de flaques et un ciel fluide, rapide, écorché par l'angle des toits. Egalement significatif, ce frissonnant plus cinq qui sait atteindre la peau sous la laine, la moelle dans l'os, et ce calme frais qui s'accorde si bien avec l'obscurité pour renforcer le moindre son... »
Hervé Bazin, *L'huile sur le feu*

LE LOIRE-BÉCONNAIS
LA POUËZE
BÉCON-LES-GRANITS
CHAMPTOCÉ-SUR-LOIRE
SAINT-GEORGES-SUR-LOIRE

Le Loire-Béconnais n'offre pas autant de diversité mais possède à sa façon un riche patrimoine avec ses deux beaux châteaux, ses quelques mines d'ardoise et ses carrières de granit.

C'est à la Pouëze que l'on peut apercevoir un des derniers lieux d'extraction d'ardoise. En direction de Bécon-les-Granit, la petite chapelle de Sainte-Emerance a fait sa notoriété d'un événement historique, voire anecdotique. Déjà invoquée contre les maux de ventre, Sainte-Emerance entendit un jour la supplique du roi Louis XI, alors qu'il chassait près du Plessis-Placé et fut pris de douloureuses coliques. Exaucé, il combla la chapelle de ses libéralités. Mais à la Révolution, elle a perdu une statue en argent de la Vierge remplacée depuis par une œuvre naïve. Au milieu d'une importante décoration, on remarque son autel en tuffeau finement sculpté.

La chapelle Sainte-Emerance à la Pouëze ; la sainte retenant dans les plis de sa robe les pierres de la lapidation.

Le lavoir Saint-Hellier est une curiosité par son côté sophistiqué et esthétique. Sol pavé, cheminées pour faire bouillir le linge, pierres à frotter et décoration presque intacts confèrent à ce lieu une atmosphère agréable, accentuée par une douce lumière qui pénètre par le haut du bassin d'eau, à ciel ouvert.

Le lavoir Saint-Hellier à la Pouëze.

En direction de La Chapelle-Glain, le moulin du Rat, moulin-tour du

Au Louroux-Béconnais, le souvenir du martyre de Noël Pinot reste vivace dans les esprits.

XIXe siècle, se mêle aux bâtiments de la ferme avec autant de discrétion que ceux-ci dans le paysage.

Bécon-les-Granit peut se vanter d'avoir un vrai patrimoine avec le château de Landeronde des XVe et XVIIe siècles, l'église néo-gothique du XIXe siècle et plusieurs moulins dont la Landronnière.

Ce village a surtout pendant des années su tirer profit de la richesse de son sous-sol : le granit. L'extraction de la pierre est un travail, la transformer peut devenir un art. De pavé ou matériaux de construction, le granit s'est fait fontaines ou monuments, voire à présent, mobilier moderne.

Mais à l'instar de l'ardoise, le granit angevin est devenu trop cher et a dû s'incliner devant les productions bretonnes ou auvergnates. Toutefois, le granit est toujours mis en valeur au musée où l'on peut tout apprendre sur le travail de la pierre.

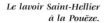

La Grand'Maison à Bécon-les-Granits ; construite en 1545, elle demeure un bel exemple de réalisation en pierre locale : murs épais en grisons (granit de surface), fenêtres à meneaux ciselés dans le granit, grosse cheminée en schiste ardoisier.

Le musée du Granit à Bécon-les-Granit.

Gilles de Rais

Personnage énigmatique, Gilles de Rais a eu bien des raisons de faire parler de lui. Guerrier du XVᵉ siècle, c'est au côté du roi Charles VII dans la lutte contre les Anglais qu'il devint un compagnon fidèle de Jeanne d'Arc, avant qu'elle ne soit capturée. Promu maréchal de France, il se retire toutefois de la vie politique dans son château de Champtocé-sur-Loire. Ensuite, se mêlent légende et réalité. On le dit naturellement violent et loin de tout, il sombre dans une vie de débauche attisant une rumeur qui l'accuse de la mort de nombreux enfants. Traduit devant des juges religieux et civils, il fut excommunié et exécuté.

Le château de Gilles de Rais à Champtocé-sur-Loire.

Le long circuit autour des carrières abandonnées — reconverties pour certaines en bassin de plongée — emprunte des chemins envahis par la végétation, donnant un décor un peu surréaliste par le contraste des matières et des couleurs et l'étrangeté des lieux. Enfin, les diverses constructions du village valorisent la beauté de la pierre.

Au sud du Loire-Béconnais, Champtocé-sur-Loire nous montre deux visages ; l'un plutôt sombre avec les ruines d'un des châteaux de Gilles de Rais, et l'autre plutôt bucolique avec le

*Le château du Pin,
à Champtocé-sur-Loire.*

*Au château du Pin,
le rarissime alignement d'une
cinquantaine d'ifs
impeccablement taillés.*

château du Pin, et son jardin, entretenu avec grands soins au point d'être reconnu comme l'un des plus beaux de France.

Créé en 1921, il est organisé selon un parcours thématique mettant en scène fleurs, fruits et arbres divers, qui ne cesse d'évoluer, donnant à ce jour une

des plus belles collections d'iris ainsi qu'un appréciable parterre de dahlias. L'alignement d'ifs reste une particularité et une curiosité à ne pas manquer. Pour apprécier un tel jardin, ses couleurs, ses senteurs, il faut prévoir deux heures, ne serait-ce que pour y apprécier la chapelle ; le château ne se visitant pas. Cette superbe demeure reconstruite en partie aux XIVe et XVe siècles sur les ruines d'un château fort du XIIe siècle, est entièrement privée.

Visible depuis la route qui mène à Angers, le château de Serrant à Saint-Georges-sur-Loire, est l'un des plus prestigieux de l'Anjou. Protégé par ses larges douves, cet imposant édifice, commencé au XVIe et achevé un siècle et demi plus tard, séduit par son harmonieuse symétrie. A l'intérieur, on visite des appartements richement meublés et décorés, notamment par une bibliothèque de dix mille volumes. A signaler un cabinet d'ébène aux motifs sculptés et à la riche décoration. Aux murs sont tendues de très belles tapisseries, directement fabriquées pour le château. Elles côtoient tableaux, lustres, meubles et tapis.

Le château de Serrant.
Les larges douves reflètent
à la verticale les symétries
d'une construction
harmonieuse.

Le château de Serrant
à Saint-Georges-sur-Loire.

Le Baugeois

LES RAIRIES - BAUGÉ - VIEIL-BAUGÉ - PONTIGNÉ
NOYANT - BREIL - PARÇAY-LES-PINS - BREILLE-LES-PAINS - BRAIN-SUR-ALLONES

Si le Baugeois a vu récemment l'installation à Marcé de l'aérodrome d'Angers-Avrillé, et l'ouverture de l'autoroute Angers-Saumur, il garde malgré tout une apparence de terre de tradition, dont l'histoire s'étend sur plusieurs siècles.

A tout visiteur attentif, le Baugeois révèle ainsi un riche patrimoine, une concentration de forêts unique en Anjou et la manifestation d'un attachement à une histoire.

Si l'économie perd de la vitesse, on découvre pourtant, en parcourant ces terres, que l'on pose ses pieds sur un terrain vrai, un lieu qui a du sens.

Ceux qui ont, il y a des lustres, planté des chênes dans le creuset naturel de l'humus baugeois savaient qu'ils engageaient des signes éternels d'optimisme. Leurs descendants veulent toujours vivre au pays et respectent les héritages ancestraux comme un trésor que l'on protège.

Aux abords de la forêt de Chambiers, le village des Rairies exploite toujours l'argile locale, s'étant spécialisé depuis fort longtemps dans la fabrication des petits carreaux ocre rouge destinés à la décoration des plus

Page de gauche :
Typique de l'Anjou, les clochers tors d'églises du Baugeois ; l'origine reste incertaine.

Chevaux en liberté dans les prairies baugeoises.

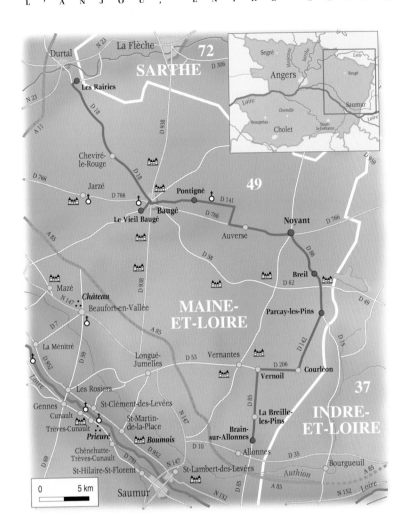

Le toit d'un hangar de séchage dans le village des Rairies.

belles maisons. C'est grâce à un regain d'intérêt pour les matières naturelles qu'il reste encore quelques fabriques ; au XIXe siècle, une soixantaine de briqueteries se répartissaient les commandes.

Aujourd'hui, la fabrication s'est partiellement mécanisée, mais les gestes traditionnels d'enfournage et le mode de cuisson sont scrupuleusement respectés. Un peu partout dans le village, fours et hangars de séchage attestent cette tradition. C'est d'ailleurs dans une briqueterie du XIXe siècle que s'est installée la Maison de la Terre cuite, où l'on apprend l'histoire de cette activité et les techniques de fabrication, depuis le bêchage de l'argile jusqu'à l'enfournage. Dans les fabriques le style varie selon les modes tout en respectant l'authenticité de la matière, chaude et vivante.

A quelques encablures de notre circuit, deux points d'attraction sont à signaler. A l'aérodrome de Marcé, le Musée régional de l'Air a trouvé dans de nouveaux locaux plus vastes un rayonnement supérieur à celui qu'il connaissait à Avrillé. Rappelant les riches heures où Angers était un lieu majeur des compétitions aéronautiques, il présente, grâce au travail obstiné d'amateurs passionnés, un belle collection d'une centaine d'avions et planeurs, ainsi qu'une quinzaine de moteurs et d'hélices du début du siècle dernier.

En poursuivant vers Baugé, le château de la Grifferaie à Echemiré propose depuis peu un parc d'attractions dans un cadre 1900. Promenades en petit train ou en tacots, le visiteur

Rares sont les troglodytes au nord de la Loire. Pourtant, à Cornillé-les-Caves, de très belles habitations jalonnent les ruelles de ce village pittoresque.

peut aussi choisir des sensations plus fortes avec le Grand Huit ou les différents manèges.

Au cœur du Baugeois, la ville de Baugé a conservé un riche patrimoine, auquel se rattachent de nombreux récits historiques depuis sa création au XIe siècle par Foulques Nerra.

Pouvait-il alors imaginer que le château, construit sur une motte féodale, susciterait quatre siècles plus tard autant d'intérêt à Yolande d'Aragon et au roi René, son fils. Restauré une pre-

Le château de Baugé ; un logis de plaisance cher au roi René.

Une maison bourgeoise à Cornillé-les-Caves.

mière fois au XVe siècle, puis aussitôt incendié par les Anglais, le roi René se chargea à son tour de sa complète restauration à la mort de sa mère, tant il aimait cet endroit propice à la peinture et à l'écriture.

Ainsi, si à l'origine sa vocation était militaire, il devint résidence d'agrément que le style fin et délicat ne saurait démentir. A l'extrémité de la façade sud-est, on remarque ses deux tours d'escalier hors œuvre et ses nombreuses ouvertures sur

les murs. Le grand escalier à vis, sans doute escalier d'honneur, qui dessert la partie ouest y est remarquable, ainsi que la voûte en forme de palmier décorée de blasons royaux.

Sur la même place, le tribunal datant de 1861 fait pâle figure. Pourtant il se distingue par sa superbe salle d'audience, dont le décor datant du second Empire est resté tel qu'à l'origine. On pourrait imaginer quand le président appelle le prévenu que c'est entre deux bicornes que le suspect va faire son entrée.

L'hospice de la Girouardière fut fondé en 1783 par Anne de la Girouardière pour y accueillir infirmes et malades incurables. Reconvertie en

L'extérieur du tribunal de Baugé et la salle d'audience.

L'hôpital de Baugé.

La Croix d'Anjou ; cette croix à double traverse de 27 centimètres de hauteur daterait en fait du Moyen Age. Son exceptionnelle décoration faite de perles, de pierres précieuses et d'or, lui donne une valeur inestimable. On remarque sur l'une des faces l'agneau de Dieu et, sur l'autre, la colombe du Saint-Esprit. Le support est en vermeil.

de la Croix. Le calme revenu, elle fut restituée à l'abbaye. Elle devint ensuite croix de Lorraine quand le roi René hérita de ce duché en 1431, symbolisant plus tard la résistance de la province à Charles le Téméraire. Anne de la Girouardière l'acheta en 1790 et en fit don à l'hospice.

Devenu un des plus beaux hôpitaux de par son architecture, l'hôtel-Dieu de Baugé doit l'essentiel de sa construction à Marthe de la Beausse. La plupart des bâtiments, achevés avant la fin du XVIIe siècle, furent modifiés aux XIXe et XXe siècles. Ils accueillent aujourd'hui l'hôpital de Baugé.

De manière un peu insolite, l'apothicairerie, que l'on visitait il y a peu, se

Une peinture de la salle des malades de l'hôtel-Dieu de Baugé.

maison de retraite, elle conserve dans sa chapelle la célèbre croix d'Anjou, dont la légende veut qu'elle ait été taillée dans la croix du Christ. Quelle qu'en soit l'origine véritable, cette merveille d'orfèvrerie mérite grandement, de par son histoire, toute la valeur qu'on lui attribue.

De retour de Constantinople en 1244, Jean d'Alluye vendit la croix aux cisterciens de l'abbaye de la Boissière. Elle prit alors place dans une chapelle édifiée à l'attention de tous les pèlerins qui souhaitaient vénérer la relique. Mais, l'insécurité régnant dans la région pendant la guerre de Cent Ans, c'est aux dominicains d'Angers puis à Louis Ier, duc d'Anjou, que la garde de la relique fut confiée. Ce dernier aurait alors commandé le travail d'orfèvrerie lorsqu'il fonda l'ordre

présente comme un petit musée dans l'enceinte de l'hôpital. Retirée pendant la Fronde dans la région de Baugé, Anne de Melun voulut cette officine qu'utilisèrent les sœurs hospitalières pour soigner les malades. Dans cette pièce restée intacte — elle n'a jamais été modifiée depuis sa création en 1675 — on peut encore trouver végétaux, onguents et élixirs, autant de remèdes couramment utilisés à cette époque. Neuf dressoirs supportent ainsi une importante

Le patrimoine bâti de Baugé est d'une qualité remarquable.

collection de récipients en faïence décorée et de boîtes, portant le nom en latin du produit qu'ils contiennent, recouvrant les murs de cette petite pièce dont le plafond à caissons imite le marbre, faisant face à un superbe ouvrage de marqueterie sur le sol.

UN PATRIMOINE
DE PORTÉE NATIONALE

En fait, la ville tout entière témoigne d'un riche passé via ses maisons du XVIIe siècle et ses nombreux hôtels particuliers. Un patrimoine que l'on retrouve aussi au Vieil-Baugé.

Jusqu'au XIe siècle, Vieil-Baugé fut le centre d'une importante seigneurie relevant de Beaupréau et du prieuré de Saint-Serge d'Angers. On le baptisa « vieil » lorsque Foulques Nerra choisit l'actuel Baugé pour y élever une motte féodale.

Traversé par la rivière Couasnon, on y comptait autrefois de nombreux moulins à eau. Châteaux et manoirs y sont encore nombreux. Le village est pourtant le plus souvent cité pour le clocher vrillé de son église. L'église Saint-Symphorien est un bel édifice construit entre le XIe et le XVIe siècle, la flèche du clocher ayant été reconstruite en 1856. Malheureusement, un vent violent la cassa trois ans plus tard, sa charpente étant sans doute fragilisée par la concentration de tous les efforts de torsion sur le poinçon noueux.

De par la campagne et les épaisses forêts, on trouve de discrets édifices d'un intérêt exceptionnel.

Ainsi, le village de Pontigné garde en son centre et depuis des siècles, une petite église d'une grande richesse culturelle. Elle fut dédiée à saint Denis, dont la sculpture, appliquée au-dessus du portail, demeure sans tête. L'église est surtout remarquable pour son architecture angevine, dite « Plantagenêts ».

Avant d'y pénétrer, on remarque sur la façade et tout autour sur les murs, d'étonnantes sculptures fantastiques. À l'intérieur, les nombreuses fresques du XIIIe siècle sont reconnues comme les plus belles de l'Anjou, notamment celles qui couvrent les absidioles du transept.

Les clochers tors
du Baugeois

Parmi les nombreuses églises édifiées en Anjou, cinq se distinguent par leur clocher vrillé, particularité due aux charpentiers angevins qui leur dessinèrent un tracé hélicoïdal. Diverses interprétations, des plus sérieuses aux plus fantaisistes, n'ont, semble-t-il, jamais révélé la véritable raison de ce travail particulier des charpentes. Toutefois, l'imitation d'une œuvre très réussie d'un maître charpentier reste la version la plus plausible. Par leur concentration autour de Baugé, il est aisé de toutes les voir dans la même journée, et un œil observateur pourra déceler quelques différences. À Fougeré, le clocher est vrillé de la gauche vers la droite d'un seizième de tour ; à Pontigné, d'un quart de tour ; à Mouliherne, il ne vrille que jusqu'à mi-hauteur ; à Fontaine-Guérin, le lourd clocher à base carrée est vrillé vers la gauche et à Vieil-Baugé, il est haut, fin et légèrement penché.

Une maison à Pontigné.

55

*Le carrefour du Roi-René
dans la forêt de Chandelais.*

La forêt de Chandelais

*Possession des comtes d'Anjou
jusqu'en 1203, elle fut
définitivement rattachée au
Domaine de l'Etat en 1793.
A l'origine, elle s'étalait sur
800 hectares, recouverts
de chênes rouvres et de hêtres
auxquels on ajouta des pins
sylvestres, des feuillus et des
résineux. Puis, sur les
235 hectares de lande pauvre
acquise en 1970, on planta des
pins, offrant ainsi un refuge
de plus de 1000 hectares aux
chevreuils, sangliers, renards,
blaireaux, lièvres, écureuils
et aux multiples variétés
d'oiseaux. Les 60 kilomètres
de sentiers pédestres et les
13 kilomètres de pistes
équestres en font un lieu très
prisé le week-end. Le départ
peut être pris au carrefour
du roi René ; de cet important
carrefour partent huit routes
traversant la forêt de part
en part.
Pour les personnes intéressées
par l'exploitation des arbres
forestiers, la conservation,
l'entretien ou le reboisement,
l'Office national des forêts
organise en semaine
des réunions pour les groupes
de moins de dix personnes.
Il faut prendre contact par
téléphone (02 41 82 16 28).*

En continuant vers Noyant, on se dirige vers les épaisses forêts de la Monnoye (également appelée de la Monnaie) et de Chandelais, partie la plus boisée du département.

C'est à Noyant, qu'un habitant s'est pris au jeu de la découverte d'objets anciens, parfois rares et insolites. Cela a donné une collection étonnante, un grand plongeon dans l'évocation de coutumes et de savoir-faire d'autrefois. Une reconstitution de vieux commerces ou d'ateliers, des objets parfois de peu de valeur mais qui marquent l'attachement à la terre sans l'ombre de la nostalgie. Son promoteur l'a baptisé : « musée populaire des arts et métiers ».

L'insolite se rencontre aussi à Breil dans le parc du Lathan. Sur le domaine immense d'un château privé, la présence de constructions, de longues

allées et d'un canal a révélé le seul parcours galant complet connu à ce jour. D'importants travaux sont actuellement engagés afin de le faire revivre.

L'histoire remonte à trois siècles. Une précieuse angevine, Anne Frezeau de la Frezellière, inspirée par le courant littéraire de la préciosité né à la Renaissance, fit construire au cœur d'un parc magnifique, la reproduction de la carte du tendre, si chère à Madame de Scudery.

Un des grands architectes français du XVIIIe siècle, Victor Louis, eut en charge de réaliser ce jardin. Quelle que soit l'issue du parcours, le parc reste avant tout un superbe lieu propice à la promenade, particulièrement haut en couleurs le jour de la fête de la chasse qui s'y déroule chaque été.

COLLABORATEUR DE RODIN

La sculpture est aussi présente à Parçay-les-Pins, ville natale de Jules Desbois. Cinquante ans après sa mort, une

Les œuvres de Jules Desbois sont présentées pour quelque temps encore dans sa maison natale.

Le parc du Lathan à Breil.

Le parcours du tendre de Madame de Scudery

En plein XVIIIe siècle,
les précieuses exprimaient leurs
choix galants selon un parcours
sentimental codifié par la
« carte du tendre ». Un amoureux
était accepté ou éconduit au
terme d'un itinéraire
qui proposait trois issues.
La sortie de l'indifférence dont
l'accompagnement végétal
est essentiellement constitué de
conifères et d'arbres indifférents
aux saisons ; aucune allée
n'est tracée, le rejeté est livré
à lui-même.
La sortie de l'inimitié dont
la végétation est plus agressive
et plus sauvage. C'est un
parcours embrouillé dont
les allées ne mènent nulle part.
Enfin, la sortie glorieuse, celle
qui mène vers l'embarcadère
de l'île de l'amour, où se trouve
le temple de Vénus.
Le seul parcours souterrain
de ce type construit en France
a été remis en valeur récemment
au parc du Lathan.

association a fait de sa maison natale un musée, consacré à son œuvre.

Une cinquantaine de pièces sont rassemblées, donnant une vue assez complète de son talent. Parmi elles, « La Misère » et « Le Rocher de Sisyphe » ou dans un autre registre, « La Femme à L'Arc » et « Léda ».

Dans le village, d'autres sculptures de Jules Desbois sont visibles comme « La Marianne » sur la façade de la mairie, à l'église et sur le fronton des « Landes », la maison où il sculptait lorsqu'il revenait au pays.

A la Breille-les-Pins, c'est une bien passionnante plongée dans le monde de l'enfance qui attend le visiteur qui pousse la porte de l'entreprise CBG Mignot. Une impressionnante collection de figurines en plomb permet de

voir comment ce jouet pour enfants est devenu pièce pour collectionneur. Les statuettes sont fondues et peintes sur place. Certains moules appartenant à la fabrique étant antérieurs à la Révolution.

A quelques kilomètres de là, la maison forte de Brain-sur-Allonnes nous plonge en plein Moyen Age. Sur les ruines de la maison qu'occupait le chevalier Jean de Sacé au XIIIe siècle, toute son organisation et ses systèmes de défense sont expliqués. Dans le jardin médiéval ont été plantées deux cent cinquante espèces de végétaux, dont un grand nombre existait aux XIIe et XIVe siècles. Certaines plantes sont devenues très rares dans la région comme la nielle, la belladone, la balsamine, le maceron et le calament.

Paysage typique du Baugeois.

Le Saumurois

Le Saumurois est le point d'orgue de la découverte de l'Anjou. Dans la partie la plus proche de la Touraine, se concentrent les plus majestueux monuments, les plus belles rives de la Loire, et aussi des troglodytes de coteau quasiment uniques en France.

Ce n'est pas pour rien que l'énorme majorité des touristes étrangers qui séjournent en Anjou choisissent l'est du département pour y diriger leurs pas.

La réputation internationale de Saumur vient sans doute de son excellence dans les arts équestres, et par la présence sur son sol du prestigieux Cadre Noir. S'il n'est plus dirigé par les militaires, il maintient vivant un style de dressage « à la française » et exporte ce qu'il est convenu d'appeler désormais un spectacle dans le monde entier.

Musées, châteaux, abbayes ou églises, le nombre de sites à découvrir en Saumurois est particulièrement impressionnant tout comme les bonnes tables ou les itinéraires de promenade pour les plus courageux.

Le Sud-Saumurois est dense en curiosités. La plus étonnante est incontestablement les troglodytes qui, réutilisant des cavités de falun ou de tuffeau, créent un monde souterrain particulier qui compte, outre des habitations, des restaurants, des caves, des champignonnières, et même un zoo ! (voir chapitre sur les troglodytes page 79).

Enfin, si vous passez à la bonne période, ne manquez pas le spectacle féerique offert par une ville toute dédiée à la rose : Doué-la-Fontaine.

Page de gauche :
Maison troglodytique.

Le Sud-Saumurois, autour de la ville de Doué-la-Fontaine, est la terre de prédilection pour les cultures florales.

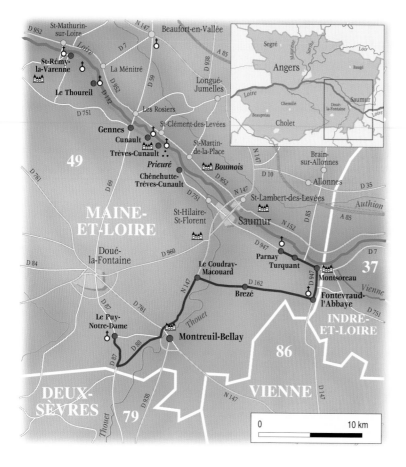

sente un étonnant décor sculpté et peint à la Renaissance, notamment sur la cheminée monumentale.

Chaque année, le dernier week-end de septembre, les Hortomnales rassemblent de nombreux artistes, artisans et brocanteurs.

Au Thoureil, l'abbaye de Saint-Maur-de-Glanfeuil est l'une des plus anciennes de l'Anjou. Selon la légende, l'abbaye fut fondée au VIe siècle par saint Maur sur le site d'une ancienne villa gallo-romaine. Elle connut les invasions normandes puis, la ruine et le pillage lors de la guerre de Cent Ans. Située à proximité de l'important foyer de protestantisme de Saumur, elle devint un enjeu pendant les guerres de Religion et connut de nouveaux pillages.

Reconstruite en partie au XVIIe siècle par la Congrégation de Saint-Maur, elle subit alors les affres

Le logis du Prieuré de Saint-Rémy-la-Varenne ; les deux bustes sur la façade (ci-contre) pourraient représenter les anciens propriétaires.

A droite au centre :
La cour intérieure et la chapelle de l'abbaye de Saint-Maur.

EN PASSANT PAR LA LEVÉE
SAINT-RÉMY-LA-VARENNE
LE THOUREIL - GENNES
CUNAULT - TRÈVES
CHÊNEHUTTE

La route la plus recommandée pour joindre Saumur depuis Angers est la rive gauche de la Loire car elle est jalonnée de magnifiques édifices éclatants sous le soleil, et contemplant le fleuve depuis des siècles.

Un peu en retrait de la Loire, Saint-Rémy-la-Varenne vit à l'ombre de son prieuré qui, fondé en 929, fut l'un des plus riches de l'Anjou. Il prit naissance grâce à la donation par Foulques Ier aux moines de Saint-Aubin, d'un domaine appartenant aux comtes d'Anjou . L'enclos prieural est composé d'édifices superbes et variés. Le logis pré-

de la Révolution, durant laquelle les religieux furent expulsés et les biens vendus. Au XIXe siècle, les moines bénédictins lui redonnèrent vie, suivis, à partir de 1915, des frères assomptionnistes. A ce jour, l'abbaye a gardé l'essentiel des bâtiments monastiques édifiés lors de la reconstruction de la fin du XVIIe siècle. Elle se visite durant les mois d'été.

Gennes est située sur un site antique, comme en témoignent les vestiges d'un amphithéâtre gallo-romain, unique dans l'Ouest par ses dimensions, des thermes et d'un sanctuaire. Depuis l'église Saint-Eusèbe, le panorama sur la vallée vaut bien une ascension pédestre sur le chemin pentu.

Gennes est aussi le site des dolmens « angevins », caractérisés par de vastes chambres précédées d'un portique très court. Si le géant des dolmens angevins reste indéniablement celui de Bagneux, près de Saumur, la région de Gennes possède sans doute le plus beau groupe de dolmens colossaux avec la Pagerie, la Madeleine et la Bajoulière.

La curiosité vient aussi du moulin de Sarré, dernier des neuf moulins à eau qui tournaient le long du ruisseau Avort. Ici, sous la roue à augets, on produit la farine comme autrefois.

L'abbaye de Saint-Maur-de-Glanfeuil au Thoureil ; un bâtiment massif qui contemple la Loire depuis quatorze siècles.

L'église Saint-Eusèbe à Gennes.

Le Thoureil.

Vue de Loire à Chénehutte.

A Cunault, le « quartier » de l'église est une concentration éblouissante de somptueuses bâtisses en tuffeau. Dans la rue Notre-Dame, un peu au-dessus du château, le logis du prieur du XVIe siècle servait aux moines. Il fait face à l'église Notre-Dame, construite par les bénédictins au XIe siècle. Remarquable pour ses deux cent vingt-trois étonnants chapiteaux sculptés et ses peintures murales, elle est depuis quelques années un lieu de rendez-vous des mélomanes, pendant les « Heures musicales de Cunault », les dimanches de juillet et d'août.

Le logis du prieur à Cunault.

L'église prieurale de Cunault.

La tour de Trèves.

L'église Notre-Dame-des-Tuffeaux à Chénehutte.

Sur la route, on remarque la tour de Trèves, seul vestige d'un château dont les origines remontent au XIᵉ siècle et à Chénehutte, l'église Notre-Dame-des-Tuffeaux du XIᵉ siècle.

EN PASSANT PAR LE VIGNOBLE
PARNAY - TURQUANT
MONTSOREAU - FONTEVRAUD
BREZÉ - LE COUDRAY-MACOUARD
LE PUY-NOTRE-DAME
MONTREUIL-BELLAY

Quittant Saumur vers Fontevraud, le touriste a le choix entre deux routes pour guider ses pas. Soit il opte pour la bande côtière de la Loire et découvre un impressionnant spectacle de caves et de troglodytes proposant des curiosités du terroir, soit il prend de la hau-

teur en s'engageant à flanc de coteau vers Dampierre-sur-Loire. Là, le panorama est assuré jusqu'à Chinon, reconnaissable aux formes cylindriques de sa centrale nucléaire, et aussi il traverse un des vignobles vedettes du lieu, à savoir le très coté Saumur-Champigny.

Côté paysages, c'est superbe. On passe Parnay puis Turquant et là, on peut se forger soi-même son opinion sur les mérites réels des fruits du travail des hommes avec le grain noble donné par Dame Nature. C'est pour tout dire à la grande Vignolle que l'on peut confortablement s'octroyer un moment d'épicurisme dans un cadre typique ; toiles d'artistes régionaux, mais surtout produits du terroir et vins font en permanence partie de la visite. Faisant largement face à la Loire, ce logis seigneurial à la fuie du XVIᵉ siècle est un exemple de réalisation en pierre de tuffe.

A cet endroit, les caves se succèdent et celle de Val Hulin est devenue au siècle dernier un lieu de production important des fameuses « pommes tapées ». Dans ce cadre vaste et abondamment décoré d'objets anciens, on apprend le secret de fabrication d'un produit né des malheurs de la vigne, et qui a complètement disparu dans les années quarante. Cela explique les difficultés rencontrées par Alain Ludin pour faire renaître ce qui était avant tout un mode de survie. Sa production restreinte en permet toutefois la dégustation ; arrosée de Champigny, la pomme tapée est un mets agréable et original.

*La Grande Vignolle
à Turquant.*

Brezé

Le château de Brezé, bâti à partir du XIe siècle, est une demeure Renaissance dont l'intérêt réside essentiellement sous terre, puisqu'une ancienne demeure seigneuriale fortifiée a été creusée entre le Xe et le XVe siècle.
Fait remarquable, le château se targue de posséder les douves entièrement closes les plus profondes existant en France. De fait, sensations garanties avec la vue depuis le creux des fossés !
On peut désormais parcourir 800 mètres de ces souterrains qui empruntent les anciens chemins de ronde, accèdent par les douves aux celliers, pressoirs, cuisines et à la magnanerie.

Le château de Brezé repose sun un vaste ensemble de souterrains entouré d'impressionnantes douves.

Dans les mêmes temps, d'autres caves s'ouvrirent à la production du champignon de couche dit aussi « de Paris » puisque préalablement cultivé dans des carrières souterraines au sud de la capitale à partir de 1810.

Ainsi, à Montsoreau, près des habitations troglodytiques du coteau de la Maumenière, les immenses galeries souterraines creusées au XVe siècle, devinrent dès 1895, le lieu d'une production alors insolite sur les bords de Loire. Pourtant, la récupération de cette culture par ces lieux désertés est surtout due aux conditions idéales de température, d'obscurité et d'humidité, nécessaires à une croissance rapide des champignons.

Ainsi, les champignonnistes s'activent chaque jour à la récolte assurant, avec le Baugeois, un tiers de la production française. Dans les longues galeries poussent également des pleurotes, des pieds-bleus et des galipettes, champignons de Paris oubliés volontairement jusqu'à ce qu'ils deviennent très gros pour être farcis.

Le village de Montsoreau est un des plus pittoresques en Anjou. Au seuil de la Touraine, il s'étale sur le flanc d'un coteau tapissé de vignes, et d'où l'on peut découvrir un des plus beaux panoramas du Saumurois.

Le confluent de la Vienne et de la Loire se dessine parfaitement dans l'immense vallée à perte de vue, offrant sous la lumière changeante du jour des paysages sinueux et variés. A la nuit tombante, le regard est attiré au lointain par de multiples lumières d'où se détache la centrale nucléaire de Chinon. Une place de choix pour le château rendu célèbre par Alexandre Dumas, depuis lequel on pouvait surveiller les limites du Poitou, de la Touraine et de l'Anjou.

Protégée alors par la douve naturelle que représentait la Loire — ce n'est qu'au début du XIXe siècle qu'une route la sépara du fleuve — cette forteresse à l'austère façade n'en fut pas moins soignée dans son allure. Construit au XVe siècle par Jean de Chambés, diplomate et proche conseiller de Charles VII, celui-ci l'agrémenta côté cour d'une architecture Renaissance.

Larges baies, escalier orné de médaillons et de sculptures, autant de détails pouvant aider l'imagination à planter le décor d'une histoire d'amour triste et belle. Une histoire

romancée cependant, puisque l'auteur prit quelques libertés par rapport à la réalité ; c'est en fait au château de la Coutancière que fut assassiné le beau Bussy d'Amboise, laissant Diane, prénommée en réalité Françoise, se réconcilier finalement avec son mari.

LES IMAGINAIRES DE LOIRE

Propriété du Département de Maine-et-Loire, le château de Montsoreau

connaît une nouvelle jeunesse depuis 2001 avec les importants travaux qui s'y sont déroulés pour installer « Les Imaginaires de Loire », surprenante animation des différentes pièces de l'édifice autour de thèmes forts, typiques de la Loire angevine.

Les techniques les plus modernes ont été utilisées pour mettre en scène gabares et toues, évoquer le commerce fluvial et les crues de sinistre mémoire. A coup sûr, la porte de l'Anjou va voir sa fréquenta-tion augmenter avec ce point d'at-traction de tout premier intérêt.

Sur la route de Fontevraud, le moulin cavier de la Herpinière est l'un des plus vieux d'Anjou. Depuis le xvᵉ siècle, il domine le vignoble. A l'intérieur, on peut visiter l'habitat de l'ancien meunier qui propose des curiosités intéressantes car instruc-tives. Les ailes toilées le distinguent particulièrement des autres mou-lins, encore intacts, visibles dans la région.

Le château de Montsoreau :
le plus proche du fleuve
de tous les châteaux du Val
de Loire.

L'abbaye royale de Fontevraud

Constitué de 1129 registres et dossiers datant du XIIᵉ siècle jusqu'en 1790, le chartrier
de Fontevraud est aujourd'hui l'un des ensembles les plus riches conservés en France.
Cette richesse, il la doit avant tout à l'illustre passé de l'abbaye, depuis sa fondation
en 1099 par Robert d'Arbrissel, et les efforts de la première abbesse, Pétronille,
pour organiser autour d'elle un ordre qui essaime en trente ans dans plus de cinquante
prieurés. Puis les bienveillantes attentions des comtes d'Anjou se multiplient, de Foulques

La blancheur des pierres taillées valorise au mieux les lignes élancées d'une architecture harmonieuse.

Les cuisines : un travail de la pierre d'une intelligence exceptionnelle.

de Jérusalem qui dote l'abbatiale et assiste à sa consécration, à Henri II, roi d'Angleterre, qui attache à l'abbaye angevine le prestige de sa dynastie et la personnalité controversée d'Aliénor, son épouse. Au versant du Moyen Age, alors que l'abbaye sort ruinée de la guerre de Cent Ans et que l'autorité de son abbesse faiblit devant les attaques des frères, Marie de Bretagne, vingt-cinquième abbesse, retirée au prieuré de La Madeleine-les-Orléans, impose la réforme et rend à l'ordre puissance et dignité. Elle ouvre la voie à deux siècles de présence de la Maison de Bourbon dont sont issues les abbesses Renée, Louise, Eléonore, puis Louise de Bourbon-Lavedan et Jeanne-Baptiste, toutes, de tante en nièce, œuvrant pour la gloire retrouvée de leur ordre. Leur seule déception est de ne pas obtenir auprès de Rome la canonisation de leur fondateur.

A la tête de cet ordre tant convoité, Louis XIV impose en 1670 une jeune fille de 25 ans, qui n'est autre que la sœur de Madame de Montespan. Celle que le Roi-Soleil nomma la « perle des abbesses » y resta trente-quatre ans. Le XVIIIe siècle qui s'ouvre à sa mort n'est qu'une continuité du précédent, contrastant avec le déclin qui touche alors tous les établissements. Préservée des débats jansénistes par la vigilance de ses abbesses, Fontevraud s'organise pour accueillir les quatre filles de Louis XV qui confie à la province leur éducation.

Les gisants de Fontevraud ; Henri II reproduit à l'égard de l'abbaye la généreuse bienveillance de son aïeul Foulques V. En 1189, son inhumation dans l'abbatiale inaugure le choix de celle-ci comme nécropole de la dynastie. Après lui, son fils Richard Cœur de Lion et sa veuve Aliénor d'Aquitaine y trouvent leur ultime refuge. Plus tard, d'autres parents, dont Isabelle d'Angoulême, rejoignent les sépultures royales constituant ainsi le « cimetière des rois » dont les vestiges demeurent visibles à l'intérieur de l'abbatiale.

Classé dans les villages de charme, Le Coudray-Macouard se visite dans son intégralité. A pied, dans les petites rues, on découvre tour à tour quelques belles maisons du XVᵉ au XVIIIᵉ siècle, le château, dont le parc occupe tout le haut du piton sur lequel est construit le village, et l'ancien presbytère.

Une des plus anciennes demeures se situe dans la rue de Tire-Jaret. Dans la rue Saint-Jean, l'ancienne Commanderie des Hospitaliers de Saint-Jean de Jérusalem au XIVᵉ siècle, a été vendue comme bien de l'église à la Révolution. On peut aussi s'attarder dans les ruelles jusqu'au jardin botanique présentant des plantes textiles et tinctoriales. Le porche de l'ancienne seigneurie de Louzy est surmonté d'une tour carrée avec une très belle fuie.

Le Puits-Venier fut la propriété de la famille Foullon jusqu'en 1766. A quelques mètres de la poste, l'atelier de la Girouetterie rappelle qu'autrefois les enseignes avaient un rôle d'indicateur de métier visualisant rang social du propriétaire sur la maison. Un cheval indiquait un relais et une gabare, la maison d'un marinier. Dans cet atelier, sont taillées dans le zinc ou le cuivre girouettes ou enseignes, d'après un catalogue de plus de cinq mille dessins.

Au bout de l'impasse Bel-Air, la Magnanerie rappelle quant à elle l'essor considérable qu'avait pris la fabrication du fil à soie au XIXᵉ siècle dans la région. La Seigneurie du Bois, belle demeure des XVᵉ et XVIᵉ siècles, a été restaurée par l'Association pour la protection du patrimoine.

Les samedi et dimanche de la Pentecôte, le village célèbre cet événement avec des milliers de bougies allumées à la tombée de la nuit sur les rebords des fenêtres. On peut aussi visiter les habitations troglodytiques et les demeures du village et y déguster des escargots, du foie gras et du vin.

La collégiale du Puy-Notre-Dame fut érigée au sommet de la colline du village, dont les campagnes avoisinantes regorgent de vignes. On peut aussi découvrir de beaux points de vue sur ce village qui se caractérise également par plusieurs centaines de kilomètres de galeries d'exploitation du tuffeau creusées dans son sous-sol.

L'édifice gothique de style angevin s'impose aujourd'hui de manière démesurée dans ce village de 1300 habitants. Mais à l'époque de sa construction, au XIIᵉ siècle, elle était sur le passage des grands pèlerinages. L'église conserve la ceinture de la

Vierge, un tissu de lin et de soie orientale ramenée de Jérusalem par Guillaume, duc d'Aquitaine.

Juste à côté du Puy-Notre-Dame, à Sanziers, la cave champignonnière Saint-Maur propose, sur plus d'un hectare, la découverte de la vraie technique des champignons en troglodyte.

Le village et les abords de Montreuil-Bellay forment un des plus beaux sites de la « Vallée des Rois ». Au XVIIe siècle, c'était, paraît-il, la deuxième ville de l'Anjou et aujourd'hui, c'est encore une étape de

charme aux confins de deux régions : l'Anjou et le Poitou.

Le joyau de son patrimoine est incontestablement le château féodal qui veille sur la cité depuis le XIe siècle, depuis que Foulques Nerra a choisi d'y montrer l'expression de sa puissance. Son intérêt réside sur-

tout dans l'harmonie de son ensemble. Il laisse libre cours à l'imagination, trouvant ses appuis sur le château et son enceinte, ses dépendances, la collégiale Notre-Dame et tous les monuments de la cité féodale.

Ce château Renaissance est un exemple d'architecture, qui à l'époque, devait répondre aux nécessités de défenses, avec une envie de confort et de beauté. Flâner dans la cité permet d'en apprécier la configuration et le panorama sur la vallée.

Pour terminer, on peut se rendre à Bagneux, pour voir le plus imposant dolmen d'Europe avec celui d'Antequera, près de Malaga en Espagne.

La collégiale du Puy-Notre-Dame fut édifiée par le duc d'Aquitaine pour faire honorer davantage la sainte ceinture.

A gauche :
Le dolmen de Bagneux ; un géant de 500 tonnes dressé il y a quelques milliers d'années.

Aux confins de l'Anjou et du Poitou, l'imposant château de Montreuil-Bellay.

Saumur

Saumur demeura pendant près d'un siècle une place forte du protestantisme éclairé. En 1589, nommé par le roi Henri III, Duplessis-Mornay en devint le gouverneur et créa l'académie protestante en 1599, qui donna à Saumur un rayonnement sans pareil à cette époque. Grâce à elle, était assurée la formation de la jeunesse et des futurs pasteurs. Des étudiants et des grands esprits de tous les pays convergeaient vers la ville et une intense vie intellectuelle s'instaura.

Bien qu'en minorité, et opposés aux oratoriens, les protestants parvinrent à établir des échanges fructueux avec eux pendant des années, même après la destitution de Duplessis-Mornay par le roi Louis III. Sous la pression de l'évêque Henri Arnauld, l'académie fut fermée en 1685. Comme pour beaucoup de cités huguenotes, la révocation de l'édit de Nantes contraria beaucoup son rayonnement intellectuel et mit à mal aussi son développement économique.

De cette période, il reste cependant un riche patrimoine que l'on peut apprécier aux alentours du château. L'histoire de Saumur devait alors prendre une tout autre tournure avec, en 1763, la création de l'Ecole de cavalerie composée alors de trois cents carabiniers de Monsieur, frère du roi.

Aujourd'hui, le Cadre Noir assure la conservation de la tradition de l'équitation académique. Régulièrement, à Saumur, sont donnés des présentations traditionnelles ou des soirées de gala au Grand Manège. Ces spectacles montrent bien tout le prestige de la haute école.

Aujourd'hui encore, l'Ecole nationale d'équitation et son fameux Cadre Noir, assurent un prestige certain à la ville qui se définit volontiers comme la capitale de l'équitation.

Page de gauche :
Saumur.

Le Cadre Noir de Saumur.

Ph. A. Laurioux, Ecole nationale d'équitation

L'école de Saumur

A la fin du XVIe siècle, le roi Henri IV confia à son ami Duplessis-Mornay la place de Saumur. Celui-ci fonda une académie protestante et une académie d'équitation, laquelle fut dirigée par monsieur de Saint-Vual. Cet écuyer avait été formé à l'académie d'Angers, selon les principes de Pluvinel, premier écuyer du duc d'Anjou. Jadis, l'équitation faisait partie de l'éducation des gentilshommes. Mais l'existence de cette académie fut éphémère. Il fallut ensuite attendre plus de deux siècles pour qu'en 1763, le roi Louis XV confie au duc de Choiseul la réorganisation totale de la

Ph. A. Laurioux, École nationale d'équitation

cavalerie française. Ainsi, en 1771, « la plus belle école de cavalerie du monde » (général Durosoy) fut construite sur le Chardonnet de Saumur. Elle était gérée et encadrée par le Corps royal des Carabiniers et fonctionna jusqu'en 1788.

Elle fut rétablie par l'ordonnance du 11 novembre 1824 sous le nom d'Ecole royale de cavalerie. Elle comprenait un manège militaire et un manège d'académie dans lesquels on enseignait les principes d'éducation militaire. En 1828, durant le premier Carrousel de Saumur, les cadres présentèrent des reprises de sauteurs et d'instructeurs. Ces derniers étaient coiffés de l'actuel « chapeau de manège », mais la tenue n'était pas encore noire. Elle le devint sous le règne de Louis-Philippe. Cependant le Cadre Noir était né.

L'hôtel de ville de Saumur. L'alternance brique-tuffeau, très courante en Touraine, est une curiosité dans le Saumurois.

Créée en 1972 sur les plateaux de Terrefort et de Verrie près de Saumur, l'E.N.E. est un établissement public placé sous la tutelle de ministère de la Jeunesse et des Sports. Six manèges, quinze carrières olympiques, 50 kilomètres de pistes aménagées, quatre grandes écuries, hébergeant quatre cents chevaux en permanence et accueillant chaque année 2 000 stagiaires du monde entier... l'équipement mérite la visite.

L'école ouvre ses portes au public d'avril à octobre, mais on ne peut voir l'entraînement des écuyers du Cadre Noir dans le grand manège que le matin. L'école joue un rôle essentiel pour des stages de préparation aux grandes épreuves internationales et pour la préparation aux brevets d'Etat.

Saumur est devenue une capitale des arts militaires puisque l'on y trouve aussi le musée de la Cavalerie et celui des Véhicules blindés.

Le musée de la Cavalerie est situé dans un bâtiment à fière allure, dans un pavillon achevé en 1768 pour les carabiniers du comte de Provence.

Trois grandes salles rassemblent des souvenirs datant du Directoire jusqu'aux campagnes d'Indochine et

d'Algérie. Armes blanches et à feu, costumes et traces des hauts faits de la cavalerie dans l'armée d'Afrique, portraits des différents commandants de l'école... L'évocation des moments glorieux est large et traverse le temps de la cavalerie d'hier à l'arme blindée d'aujourd'hui.

Le musée des Blindés, quant à lui, est l'un des plus complets visibles en France, voire même en Europe. Au long du XXe siècle, on voit l'évolution de ces véhicules impressionnants qui

ont pris une importance considérable dans les combats modernes. Comment oublier l'impact des chars américains défilant lors de la Libération dans les rues des villes françaises. Régulièrement, de nouveaux modèles viennent grossir cette collection, emblème de la présence militaire conséquente dans la ville.

Toutefois, le fleuron de la ville est son château aux allures fines et délicates, surplombant fièrement la cité et la Loire depuis quatre siècles.

Sur les quais, on ne peut que remarquer les belles demeures en tuffeau et surtout l'hôtel de ville à l'architecture travaillée, notamment dans la cour intérieure de la mairie où l'harmonie des formes, esquissée au Moyen Age, a été renforcée à la Renaissance : fenêtres à meneaux surmontées de colonnettes et de torsades.

Côté Loire, l'hôtel de ville comprend deux tourelles d'angle, des créneaux, deux niveaux de mâchicoulis et d'autres fantaisies architecturales...

Vue de Saumur depuis le château.

Ses fenêtres contemplent la place de la Bilange où le marché du samedi se tient depuis neuf siècles. Dans ce quartier animé, le théâtre s'est fait une place de choix au XIXe siècle.

Saint Louis avait fait construire sur la corniche un édifice féodal, fortifié de quatre tours d'angle. Plus tard, le château de Saumur fut entièrement remanié en château de plaisance par Louis Ier d'Anjou, puis achevé par Louis II. Enfin le roi René le fit restaurer entre 1453 et 1472 et le baptisa le « château d'amour ».

Henri II fit de Saumur une place de sûreté pour les protestants et confia le gouvernement à Duplessis-Mornay,

qui assura la réhabilitation de l'œuvre du roi Louis Ier. Plus tard l'édifice se dégrada rapidement, et l'aile occidentale s'écroula au XVIIIe siècle. Sous Napoléon, le château devint prison d'Etat, et ce n'est qu'au début du XXe siècle que la Ville de Saumur racheta le château. Il abrite aujourd'hui les musées du Cheval, des Arts décoratifs et de la Figurine-Jouet.

Le musée du Cheval présente des pièces retraçant l'histoire de l'équitation et du harnachement du cheval de selle, depuis l'Antiquité jusqu'à nos jours et ce à travers le monde. Le musée des Arts décoratifs a pris place dans l'ancien appartement des ducs.

Le château de Saumur ; « un décor de légende [...] soutenu par de fins meneaux [...] dans un environnement de vendanges sous un ciel d'azur profond. »

Des pièces de faïence et de porcelaine des XVIIe et XVIIIe siècles de grandes manufactures françaises y sont exposées, ainsi que des meubles et des tapisseries de la même époque. On trouve au musée de la Figurine-Jouet, une magnifique collection de jouets anciens en bois, en plomb ou en plâtre.

Lors de la révocation de l'édit de Nantes, les protestants fidèles à leur confession furent contraints à l'exil. Le temple fut détruit et on ferma l'académie. Plus tard, des congrégations catholiques prirent la relève : carmes, oratoriens et récollets y installèrent des fondations.

Un siècle après le début de ce mouvement, la fabrication des chapelets occupait un dixième de la population et Saumur fut longtemps réputée pour sa fabrication de bijoux et de médailles. Une ferveur qui donna une grande importance aux édifices religieux.

L'église Notre-Dame-des-Ardilliers à Saumur.

Notre-Dame-des-Ardilliers fut un lieu de pèlerinage très fréquenté aux XVIe et XVIIe siècles. Une statue de la Vierge découverte à proximité déplaça des milliers de pèlerins, venus de toute l'Europe.

Près du jardin des plantes, la plus ancienne des églises de Saumur est aussi remarquable pour sa magnifique collection de tapisseries des XVIe et XVIIe siècles. L'édifice actuel de Notre-Dame-de-Nantilly date dans son ensemble de la première moitié du XIIe siècle. Au XVe siècle, Louis XI fit doubler la large nef d'un vaste bas-côté dont les clefs de voûte portent les armoiries du roi, de sa seconde femme, Charlotte de Savoie, et du dauphin Charles.

Vitrine de l'une des activités militaires de la ville, le musée des Blindés présente la plus grande collection de chars visible en France.

La région de Saumur :
un des plus anciens vignobles de France

Ses origines remontent à la fin du IIIᵉ siècle. Pour la première fois, la vigne est plantée dans le Saumurois par un empereur romain. Dès le Moyen Age, les vins de Saumur sont déjà très connus, mais ce n'est qu'au XVIIIᵉ siècle qu'ils sont véritablement appréciés et recherchés. A cette époque, les comptoirs hollandais établis sur les bords de la Loire se chargent de les exporter à travers le monde. Chargés sur des gabares, les vins sont alors transportés jusqu'à Nantes avant d'être expédiés vers de lointaines destinations. Très vite, le vin de Saumur fait l'unanimité et reste présent sur les tables de Louis XIV, Edouard VII, Rabelais ou Ronsard.

La particularité de ce vin est due à son sol calcaire. La pierre de tuffeau absorbe la chaleur du soleil et la restitue la nuit, contribuant ainsi à la bonne maturation des raisins. Les vins issus de ces vignes ont une tendance naturelle à pétiller. Le Saumurois était donc destiné à produire ces vins de mousse. De plus, l'extraction du tuffeau a laissé de profondes caves qui permettent de stocker à 12 degrés, des millions de bouteilles de Saumur brut.

Le Saumur brut est issu de trois cépages : le Chenin, le Cabernet franc et le Chardonnay. Les vendanges se déroulent en octobre et durent trois semaines environ. Les jus subissent une première fermentation durant huit à dix jours.

La fermentation, entre 18 et 20 °C, doit être lente afin d'extraire un maximum d'arômes du raisin. Le vin est ensuite mis au repos pendant l'hiver. Au début du printemps, les vins de cépages, d'années et de crus différents sont assemblés pour constituer la cuvée. Le vin est alors mis en bouteille pour poursuivre sa seconde fermentation. Celle-ci dure six à huit semaines. Les bouteilles sont bouchées provisoirement et déposées horizontalement en cave. Elles restent alors immobiles pendant neuf à dix-huit mois. C'est au cours de cette lente maturation que s'élabore la mousse qui se dégage en bulles fines à l'ouverture de la bouteille. La fermentation provoque l'apparition de lies très fines qui se déposent sur la paroi inférieure de la bouteille.

Le Champigny est de toutes les appellations saumuroises la plus connue des amateurs.

Commence alors l'opération typique des vins de mousse : le remuage. Pendant un à deux mois, placées sur des pupitres, les bouteilles sont tournées chaque jour d'un huitième ou d'un quart de tour. En même temps, le caviste relève l'angle d'inclinaison de la bouteille et permet ainsi à la lie de se détacher de la paroi et de glisser peu à peu vers le bouchon. Aujourd'hui, le remuage tend de plus en plus à se mécaniser. Dans ce cas, les pupitres sont remplacés par des giro-palettes qui permettent un remuage automatique de quatre à cinq cents bouteilles en même temps. Ensuite, lorsque la lie est concentrée dans le goulot, on le refroidit pour obtenir un glaçon qui emprisonne la lie. La bouteille débouchée, la pression interne expulse le glaçon ; le vin est alors parfaitement limpide. C'est à ce moment que l'élaborateur choisit les cuvées destinées au brut, au sec et au demi-sec. La bouteille reçoit alors son bouchage définitif — un bouchon de liège et un muselet métallique — et son étiquette.

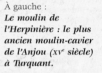

À gauche :
Le moulin de l'Herpinière : le plus ancien moulin-cavier de l'Anjou (XVe siècle) à Turquant.

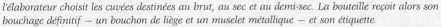

  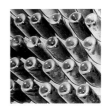

Doué-la-Fontaine
et les troglodytes

L'Anjou possède avec ses troglodytes un patrimoine unique en France par sa densité, mais un patrimoine si vivant qu'il faut l'entretenir sans cesse car sous terre plus qu'ailleurs, la nature reprend vite ses droits.

De tout temps, l'homme s'est servi des cavités naturelles pour s'abriter des intempéries. Les grottes préhistoriques sont là pour le montrer. Au fil des âges, on mit au point des techniques de constructions sophistiquées et la vie souterraine a trouvé une vocation différente du simple habitat classique.

La plus vieille cavité troglodyte du Maine-et-Loire daterait du VIIe siècle. On trouve également des souterrains-refuges du XIIIe siècle. Quant aux maisons troglodytiques, elles ont été aménagées pour la plupart au XIXe, même si on connaît certaines demeures datant du XVe siècle.

La grande majorité des troglodytes est alors habitée par les paysans, mais on trouve des demeures seigneuriales du côté de Montsoreau où les formes des portes et des fenêtres ont été particulièrement travaillées. D'autres cavités étaient à l'époque habitées par des moines qui y trouvaient sans

doute un havre de méditation plus calme qu'en surface.

Une des raisons majeures de la présence des troglodytes dans le Saumurois est liée à l'exploitation massive de la pierre de tuffeau pour la construction de maisons et à l'extraction du falun dans la région de Doué-la-Fontaine.

En troglodyte, il suffit de creuser dans les murs pour disposer d'une pièce supplémentaire.

Page de gauche : *Le manoir de la Caillère à Coutures. Une rénovation complète a permis à l'artiste Richard Rak d'y installer son atelier et sa galerie où l'imaginaire règne en maître.*

Les troglodytes : des maisons creusées dans le coteau pour fournir les pierres en tuffeau destinées à la construction des grands édifices.

À droite :
La caverne sculptée à Denezé-sous-Doué ; une lecture attentive de la fresque permet de voir des attitudes dénonciatrices de l'Eglise sous le règne de Catherine de Médicis.

vivent en permanence dans les troglodytes. Pour les trois quarts, ce sont des gens ayant toujours vécu dans ce type d'habitation et qui n'envisageraient pas d'aller habiter ailleurs.

Depuis quelques années, des personnes plus jeunes découvrent ce mode d'habitation insolite : la recherche d'un contact permanent avec la nature et l'aspiration à une vie plus écologique, une température relativement constante garantissant une sorte d'isolation naturelle. De plus, l'ouverture des maisons troglodytiques est toujours prévue plein sud afin de laisser entrer le soleil dans la première pièce et, contrairement à une idée reçue, il ne fait pas forcément sombre dans ce type d'habitat.

DES LIEUX HORS DU TEMPS

Mais l'intérêt majeur de la vie souterraine est l'absence de bruit. Protégé par les larges parois de pierre, on est coupé du monde extérieur dans une sorte de cocon protecteur.

Au-delà de l'utilisation des troglodytes comme moyen de logement,

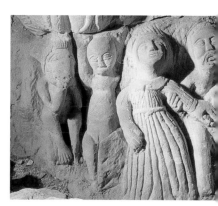

leur transformation, parfois insolite, varie dans l'ensemble du Saumurois.

A Denezé-sous-Doué, la « caverne sculptée » est sans doute un des sites les plus étranges du département. Taillée dans le tuffeau, cette œuvre fait revivre, par le biais de la caricature, les maux dominants du quotidien du XVIe siècle.

On suppose que les sculpteurs, anonymes, ont été des ruraux travaillant dans les châteaux voisins, alors que les confréries professionnelles étaient interdites et qui, par leur approche des nobles, auraient pu connaître les modes de vie de la cour.

Ces roches tendres faisaient l'objet d'un important commerce utilisant la Loire comme moyen de transport. C'est ainsi que les coteaux ont été largement exploités, laissant de grands volumes dégagés sous terre. Leur exploitation rationnelle dans de larges chambres de forme évasée a ainsi créé des cavités tempérées et humides se prêtant bien à la culture du champignon.

En plaine, les troglodytes ne sont pas nécessairement des anciennes carrières. Ce sont aussi des cavités qui furent creusées en fonction des besoins des habitants successifs. Actuellement, on estime que trois cents personnes en Anjou

Beaucoup plus récemment, à Coutures, le manoir de la Caillère s'est transformé en galerie où le peintre Richard Rak expose ses créations. Un lieu isolé qui a immédiatement séduit l'artiste, un havre de liberté pour la création autour des grands thèmes qui lui sont chers tels que les voyages, l'éloignement, la rupture.

Source d'inspiration, le troglodyte de l'Orbière s'est transformé en circuit hélicoïdal présentant sous terre une suite de cavités, de tunnels, de sphères et de personnages sculptés.

L'autre partie, à ciel ouvert, fait penser à une sorte d'amphithéâtre dont

la courbe reprend le mouvement souterrain. L'hélice terrestre de Jacques Warminski délivre toujours quelque chose à qui prend le temps de découvrir cette œuvre d'art monumentale. Un lieu qui semble aussi se prêter à la création permanente, en témoigne la variété des animations de l'été.

C'est à Doué-la-Fontaine que se trouve le site le plus visité du département. Dans les anciennes carrières des Minières, un zoo a trouvé le cadre propice pour que des animaux vivent harmonieusement dans une « mini-jungle troglodytique ». Depuis plus de quarante ans, le zoo de Doué-la-Fontaine fait œuvre de pédagogie dans sa présentation de 65 espèces et s'associe, depuis quelques années, à des programmes internationaux de reproduction et de conservation de bêtes menacées.

Plus ancienne encore, l'extraction de la pierre pour la fabrication des sarcophages du VIe au IXe siècle a laissé longtemps une interrogation dans le chantier archéologique de la Croix-Mordret. Il semble que le site ait révélé tous ses secrets aujourd'hui, servant lui aussi de cachette en des temps agités.

*Le zoo de
Doué-la-Fontaine.*

L'invisibilité à l'ennemi était souvent un des points forts de ses caves d'extraction. Ainsi, même pour de très grands sites comme les Perrières, dont le gigantisme leur a valu le surnom de « cathédrales », on extrayait le falun par le haut, creusant ainsi d'immenses entonnoirs,

À gauche :
*L'hélice terrestre à
Saint-Georges-des-Sept-Voies ;
une œuvre dans laquelle
on se déplace pour voir mais
aussi pour ressentir le lieu.*

*La Fosse, un parcours étonnant sur l'art de bien vivre sous terre,
hommes comme animaux.*

Rochemenier : la ruralité a lieu d'interprétation en sous-sol.

qui servent aujourd'hui de centre d'hébergement pour les groupes et où sont aménagés des circuits de visites.

Trois autres lieux de visites en surface sont à signaler parmi l'important patrimoine de la ville de Doué-la-Fontaine. Les arènes qui, malgré leurs apparences romaines, furent bâties au Moyen Age ; le musée des Commerces anciens installé dans les écuries du baron Foulon où vingt boutiques reconstituent l'ambiance des rues commerçantes et des échoppes d'autrefois ; et le chemin des roses où 6000 rosiers ouvrent à une promenade magique tant par les couleurs que les parfums de cette fleur riche en symboles dont Doué-la-Fontaine est la capitale.

Pour en revenir aux habitations troglodytes, on peut visiter facilement certaines de ces discrètes habitations qui ne laissent voir que de longues cheminées sur le toit terrasse. La Fosse à Forges, était encore habitée au début du siècle. Parfaitement restauré et reconverti vers le tourisme, le hameau permet de suivre le quotidien des paysans qui l'habitaient.

Ni trop sombre, ni jamais froid, et habitable dès le plus jeune âge.

Non loin de là, un autre troglodyte de plaine, à Rochemenier, dont les deux fermes ont été réaménagées en musée, présente de nombreux outils, meubles, pressoirs et même une chapelle souterraine.

Les sites troglodytiques, ce sont aussi les carrières de tuffeau transformées par la suite en caves à vin ou à champignons.

C'est ainsi que sur la rive gauche de la Loire, de nombreuses galeries ont été réhabilitées en caves à vin pour le plus grand bonheur des amateurs de Saumur brut. Les grands noms de la bulle s'y côtoient : Bouvet-Ladubay, Ackerman, Gratien et Meyer, Langlois-Château, Veuve Amiot.

Rochemenier : un hectare et vingt salles pour un lieu de mémoire pour des outils présentés dans des pièces hors du temps.

Au-delà de Saumur, à Saint-Cyr-en-Bourg, la cave coopérative a investi les anciennes carrières, qui s'étendraient sur plus de 100 kilomètres.

D'autres sites se sont révélés très adaptés à la culture des champignons, que l'on peut même goûter sur place. Restaurants de fouaces et musées complètent ainsi le monde secret et imprévisible des troglodytes.

Un parc miniature « Pierre et Lumière » est ouvert à Saint-Hilaire-Saint-Florent dans une ancienne champignonnière. Inspiré par les phares du patrimoine architectural environnant, l'artiste des lieux a reproduit à échelle réduite, mais avec un grand respect du détail, des édifices imposants comme l'abbaye de Fontevraud, les grands châteaux ou la tour de Trèves. Ces sculptures en tuffeau ouvrent à un agréable voyage miniature à travers les plus intéressants monuments du Val de Loire.

Tout à côté, le musée du Champignon est une valeur sûre du tourisme local. Les différentes variétés de culture troglodytique sont présentées avec des explications très pédagogiques sur l'art et la manière de les utiliser dans la cuisine de tous les jours.

Les caves de Saint-Cyr-en-Bourg.

Le Pays des
Trois Rivières

Au nord d'Angers, le pays des Trois Rivières s'étend entre le Segréen et le Baugeois. En hiver, plusieurs milliers d'hectares de terres sont inondés, donnant naissance au printemps à de riches prairies, milieu privilégié pour de nombreuses espèces d'oiseaux migrateurs. Traversé par le Loir, la Sarthe et la Mayenne, le site est très prisé des amoureux du tourisme fluvial.

Avec l'arrivée des beaux jours, on peut voir glisser de nombreuses pénichettes dont seul le passage des écluses ralentit le voyage, à la grande satisfaction des promeneurs. Les chemins de halage permettent en effet de longues promenades le long de ces rivières au cours tranquille qui joignent les communes discrètes et soignées du nord du département.

Aux portes d'Angers, les basses vallées angevines sont considérées aujourd'hui comme l'une des plus riches régions naturelles humides en Europe. En hiver ou au printemps, sous la pression des perturbations atlantiques, ces larges prairies jouent un rôle stratégique en ralentissant l'onde de crue. Ces champs d'inondations peuvent absorber jusqu'à 200 millions de mètres cubes. Quand les eaux se retirent, les basses vallées angevines deviennent un eldorado pour les oiseaux de toutes espèces.

Ses prairies sont en Europe occidentale la première aire de nidification du râle des genêts. On y trouve également deux cent trente-neuf espèces végétales dont une trentaine est protégée. Excellente terre d'élevage, elle a toujours gardé ses frayères bien connues des pêcheurs. Sillonné par plus de 200 kilomètres de sentiers de randonnée, ce site se distingue pour son harmonie et son fragile équilibre, mais aussi pour ses témoignages du passé à travers ses châteaux et logis seigneuriaux ou ses vestiges de la batellerie et de la meunerie.

Page de gauche :
*La Mayenne à
Cantenay-Epinard :
la cohabitation du pêcheur
à la gaule et du touriste
à la barre.*

Les basses vallées angevines.

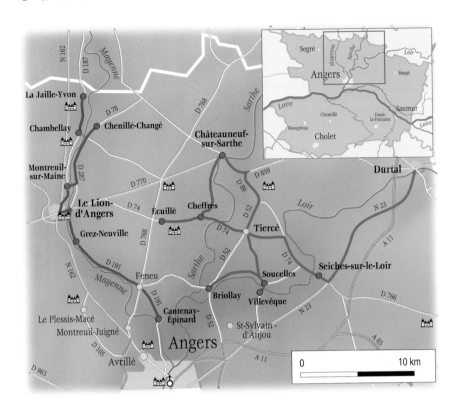

La Sarthe et le Loir
Briollay - Villevêque Soucelles
Châteauneuf-sur-Sarthe - Cheffes - Soulaire-et-Bourg
Seiches-sur-le-Loir - Durtal - Daumeray

Les vergers à Briollay.

Briollay propose une découverte exceptionnelle de la vallée. Ce nom signifierait « Pont sur le Loir », exprimant l'importance de la rivière pour les premiers habitants. Parce qu'il domine le confluent de la Sarthe et du Loir, le seigneur Foulques Nerra développa un village autour du châ-

Au Plessis-Bourré, la grande cour intérieure.

teau et de l'église. C'est d'ailleurs dans la tour du château, au lieu-dit « la Tour », que Henri IV signa six siècles plus tard la « paix Briollay », qui devait contribuer à la fin des guerres de Religion.

A voir également, le moulin de Villevêque et le bac de Soucelles. On retrouve la vie d'autrefois, celle des mariniers dont les techniques de navigation sont expliquées à la Maison de la Rivière à Châteauneuf-sur-Sarthe. Depuis le temps des gabares et des portes marinières d'autrefois jusqu'aux péniches et écluses d'aujourd'hui, le musée fait œuvre de pédagogie et joue un peu sur des relents nostalgiques. Certains jours, pour les romantiques, un bateau de tourisme remonte la Sarthe de Châteauneuf jusqu'à Sablé-sur-Sarthe.

C'est à Ecuillé, où au siècle dernier on cultivait des centaines d'hectares

Au Plessis-Bourré, l'insolite plafond à caissons peints de la superbe salle des gardes.

de vigne, que se pressent les amoureux du château du Plessis-Bourré. Ces façades se mirant dans l'eau, la forteresse présente une très belle architecture et surtout un insolite plafond à caissons peints dans la salle des gardes. Vingt-quatre panneaux, répartis dans six grands caissons, présentent une succession de scènes et de symboles alchimiques tels que l'ours portant deux singes ou l'âne chantant la messe.

Au-delà des basses vallées, près de Seiches-sur-Loir, le domaine dépar-temental de Boudré est la plus grande réserve naturelle de Maine-et-Loire. Près de l'imposant château privé à douves du XVe siècle, la chapelle de la Garde se fait discrète dans les bois. Non loin de là, à la chapelle de Matheflon, un autre panorama permet de découvrir la vallée.

Le château du Plessis-Bourré à Ecuillé.

Le château de Durtal ; un château massif dominant le Loir.

Le plafond XVIᵉ de l'église de Miré : le goût pour les lambris à compartiments peints.

au corps Renaissance et un pavillon de style Louis XIII.

A la limite du département, entre la Sarthe et le Loir, Daumeray est la patrie de Rouget le Braconnier, héros populaire qui, il y a un siècle, défiait les lois de la République et trouvait au plus profond des forêts des caches pour échapper aux gendarmes.

S'il n'avait été trahi, il arpenterait sans doute encore les bois, faisant rêver jeunes filles et enfants. Sa mémoire est bien vivante et une troupe de théâtre locale redonne chaque année une version riche en couleur de son épopée pour la plus grande joie des habitants qui de générations en générations entretiennent la flamme.

Le Loir continue son voyage vers Durtal. Située à la confluence de l'Argance et du Loir, cette jolie commune a préservé de beaux bâtiments tels que le manoir d'Auvers, les églises de Notre-Dame et de Gouis ou de Saint-Blaise.

C'est pourtant le château qui éveille l'intérêt touristique de Durtal car sa situation surélevée permet d'en apprécier la façade. La vue depuis ses terrasses est saisissante, ainsi que les maisons de la cité, les tours ou la porte Verron du XVᵉ siècle. Au XVIIᵉ siècle, on cultivait en contrebas, sur des terrasses-jardins, des plants d'orangers pour le château de Versailles.

Construit sur une ancienne forteresse du XIᵉ siècle, sur le Roc de la Primaudière, entre le XVᵉ et le XVIIᵉ siècle, il vit passer Henri II, Charles IX, Catherine de Médicis et Louis XIII. Un mélange curieux avec une aile orientale du XVᵉ siècle, un édifice

LA MAYENNE
CANTENAY-EPINARD
LE LION-D'ANGERS - GREZ-NEUVILLE
MONTREUIL-SUR-MAINE
CHAMBELLAY -CHENILLÉ-CHANGÉ
LA JAILLE-YVON

La Mayenne n'est pas en reste. Le charme de ses rives s'étend depuis Cantenay-Epinard jusqu'à la Jaille-Yvon. Dans les Basses Vallées, Cantenay-Epinard coule des jours paisibles à seulement quelques kilomètres d'Angers, ville vers laquelle le village fut au XVIIIᵉ siècle le point de passage obligé.

De l'importance historique du lieu, on ne fait plus grand cas faute de ne pouvoir exhiber que quelques vestiges. C'est alors surtout pour ses rives et son observatoire d'oiseaux migrateurs que l'on s'attarde volontiers dans ce pittoresque village aux prairies inondées presque tous les hivers.

Au nord de Grez-Neuville, la Mayenne baigne ensuite le Domaine départemental de l'Isle-Briand, célèbre pour ses haras et le Mondial du Lion-d'Angers, durant lequel les meilleurs cavaliers internationaux viennent faire concourir leurs jeunes chevaux.

L'église de Pruillé.

Ce site de 160 hectares se visite surtout à pied ; on accède ainsi aux haras, à l'hippodrome, et sur les différents terrains de sauts d'obstacles et du cross.

Autrefois, sur cette zone d'activité fluviale intense, on construisait gabares et futreaux pour le transport des marchandises. Aujourd'hui, le tourisme a pris le relais et, sur la base nautique, les pénichettes impressionnent par leur nombre.

Un peu plus en amont, Montreuil-sur-Maine possède peut-être le plus beau passage d'écluse avec son moulin à eau. Un superbe lieu de promenade le long de la rivière qui permet de découvrir en plus une réplique miniature de la grotte de Lourdes.

Chambellay reste un charmant village dont le modeste lavoir contraste avec, un peu plus haut, l'imposant château de Bois-Monboucher, du XVe siècle, reconstruit au XVIIIe siècle, protégé par un très long mur d'enceinte coupé par de tourelles.

Chenillé-Changé a la particularité d'avoir obtenu l'Oscar national de l'Environnement et le premier prix national de village fleuri. Ici, on est agréablement surpris par l'absence de fils électriques, de poteaux et d'antennes le long des maisons traditionnelles, mettant elles-mêmes en valeur le charme évident de ce petit village.

Le château des Rues, propriété privée dont le parc se visite durant le « mois des jardins » en juin, est l'une des réalisations de René Hodé au XIXe siècle. On peut apercevoir aussi le château du Haut-Rocher.

L'église, construite en grande partie au XIIe siècle, possède une nef unique des XIe et XIIe siècles, ainsi qu'une statue de saint Jacques du XVIe siècle.

Du haut des coteaux de la Vierge, le regard embrasse l'écluse et le moulin à eau, toujours en activité. La minoterie, toujours en activité, se visite aussi certains jours, dévoilant son impressionnante roue à aubes de 6 mètres de hauteur, ses cent quarante-cinq poulies et ses 470 mètres de courroies. Un de ces villages hors du temps dont la vue la plus intéressante prend appui sur l'autre rive, à la Jaille-Yvon.

Le village de Chenillé-Changé, halte fluviale pour les pénichettes de tourisme.

Le Mondial du Lion-d'Angers.

Grez-Neuville : depuis le chemin de halage, les promeneurs peuvent regarder de près le fonctionnement de l'écluse lorsqu'elle fait passer les pénichettes.

Angers
et ses environs

Saint-Barthélemy-d'Anjou - Avrillé - Trélazé - Les Ponts-de-Cé -
Bouchemaine - Mûrs-Erigné - Le Plessis-Macé - Béhuard - Brissac

Le chef-lieu du Maine-et-Loire est complexe à aborder. Si le centre-ville historique est facile à cerner, l'histoire et l'activité des hommes sont beaucoup plus diffuses.

Comme beaucoup de grandes villes universitaires, à forte vocation administrative, le brassage des populations marque les esprits et l'on s'étonne parfois de croiser des personnes aussi différentes dans les mêmes artères.

Dynamique démographiquement, ouverte aux activités commerciales et industrielles, rayonnante au plan des arts, la cité bourgeoise et rentière observée jadis par Julien Gracq a su négocier son passage vers la modernité.

Peu après la conquête romaine, un chef-lieu de « cité » aurait été créé, Juliomagus, mais sans réelle précision. César ne cite que l'hivernage de la VIIe légion de Crassus en 57-56 avant Jésus-Christ, probablement dans un secteur proche d'Angers. Les constructions légères en bois ou en terre laissèrent la place à des bâtiments plus solides aux soubassements d'ardoises et aux plans plus élaborés.

C'est à l'époque augustéenne que la vie s'installe réellement le long de la Maine, nous laissant en témoignage

céramiques, amphores et restes de soubassements. Quand le premier empereur Auguste entreprend l'organisation administrative de l'Empire, les anciennes cités gauloises sont dotées d'un chef-lieu qui se structure à l'image de Rome.

Page de gauche :
L'entrée actuelle du château d'Angers.

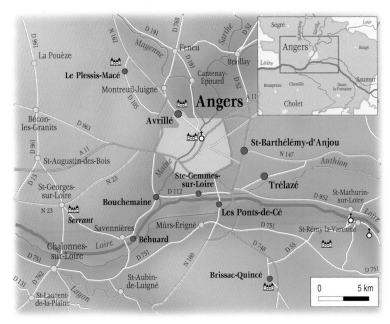

91

Aujourd'hui, la navigation a quelque peu changé au profit du tourisme. A partir du printemps, des bateaux de voyageurs contournent l'île Saint-Aubin, que d'autres abordent à pied ou à vélo dans les sentiers de randonnées.

Longé par la rocade qui relie les deux autoroutes, l'une vers Paris, l'autre vers Nantes, le château d'Angers se fait ambassadeur d'un tourisme riche, chargé d'histoire, comme en témoignent les fouilles de 1996 sous la terrasse du logis royal.

Cet édifice massif, aux dix-sept tours de schiste, surplombe la Maine depuis le XIIIe siècle. Soucieuse de mettre un terme au désir d'alliance des Bretons et des Anglais, la régente, Blanche de Castille avait fait de la ville une place forte. Il faut l'imaginer ceinturée de 4 kilomètres de remparts,

Au Moyen Âge, la ville est déjà un port actif. Au XVIIIe siècle, il fait vivre un millier de personnes. La Loire et le Layon, et au nord trois rivières navigables en font un carrefour intéressant pour le négoce.

La statue du roi René.

avec des tours encore plus hautes et coiffées de toitures en poivrières.

Pour faire face aux huguenots qui, en 1582, possèdent presque la totalité de la ville et à qui il ne manquait plus que le château, Henri III exigea sa démolition. On doit sa sauvegarde au gouverneur d'alors, Donadieu de Puycharic, qui mit tellement peu d'empressement à satisfaire aux ordres que la démolition ne fit guère de mal à l'édifice.

Le château d'Angers comporte deux portes d'accès : la porte de la ville, qui correspond à l'entrée actuelle et la porte des champs qui s'ouvrait sur la campagne. Une forteresse au système défensif très pensé : de larges fossés, n'ayant il est vrai jamais été remplis d'eau, un pont en bois, aujourd'hui

disparu, des archères, une double herse, un assommoir permettant de jeter des projectiles sur l'ennemi et, enfin, une porte à double battant aujourd'hui disparue.

La chapelle, de style gothique, fut construite au xve siècle par Louis II et Yolande d'Aragon. Si l'ensemble de ses vitraux sont contemporains, celui qui se situe face à l'entrée, représentant le roi René, la Vierge Marie ainsi que Jeanne de Laval, date du xve siècle. C'est sur les murs de la chapelle que fut temporairement accrochée une partie de la tenture de l'Apocalypse, œuvre majeure du Moyen Âge.

En sortant par la porte de la ville, les ruelles pavées de la Cité mènent avec force détours vers la cathédrale.

Ce quartier ancien bordé de maisons à colombages est le témoin de l'urbanisme médiéval et de la Renaissance.

La crue de la Maine de 1995.

elle retrouve tout son éclat en 1125, notamment grâce à ses flèches élevant le monument à 75 mètres de haut et aussi, grâce au volume de sa nef unique, donnant aux cérémonies un ton particulièrement grave et solennel.

Non loin, la place Sainte-Croix est une des attractions de la ville à cause de sa célèbre « Maison d'Adam ». La demeure en bois sculpté rempli de

À gauche : le Logis de l'Estaignier, rue Saint-Aignan ; aujourd'hui Maison de l'Etain.
À droite : la Maison d'Adam.

Rue Saint-Aignan, le magnifique « Logis de l'Estaignier » réunissait autrefois les chevaliers de l'ordre angevin du Croissant, créé par le roi René.

La cathédrale, visible à plus de 20 kilomètres, connut deux redoutables incendies et des reconstructions qui font d'elle aujourd'hui un monument emblématique de la ville. Située à l'emplacement d'une église antérieure au Vᵉ siècle, et ruinée en grande partie par un incendie le 25 décembre 999, elle fut reconstruite en 1030 par l'évêque Hubert de Vendôme. Connaissant le même sinistre deux ans plus tard,

La cathédrale Saint-Maurice.

briques et de torchis, matériaux couramment utilisés au XVᵉ siècle laisse à voir de curieuses sculptures qui décorent toute la façade, même un personnage très impudique présente aux passants ses « attributs ».

Vers le XIᵉ siècle, la pierre, beaucoup plus résistante au feu, remplaça momentanément le bois. Mais au XVᵉ siècle, le prix du terrain augmentant, la pierre étant plus chère, on réutilisa le bois en y apportant quelques modifications. Outre une épaisseur des murs diminuée, les poutres, solives

Maisons en bois des XVᵉ et XVIᵉ siècles, rue de l'Oisellerie.

Les myriades de cavaliers. © Inventaire général/F. Lasa-ADAGP

La tenture de l'Apocalypse

*Les travaux scientifiques réalisés par M. l'abbé Ruais ont
mis fin aux légendes qui entouraient l'histoire de la tenture
de l'Apocalypse. Les recherches historiques qui ont conduit
l'ancien conservateur des collections du château d'Angers
dans des archives inexplorées ou incomplètement décryptées,
permettent désormais de brosser aussi étroitement
que possible le récit mouvementé des avatars de ce joyau
du Moyen Age.*

*Hennequin de Bruges, peintre du roi Charles V, réalisa
d'un trait inventif et incomparable les maquettes de chacune
des scènes de la tenture et l'histoire récente n'a pas remis en
cause son rôle dans la composition générale de l'œuvre. Reste
à déterminer l'identité du lissier qui tissa la tapisserie puisque
Nicolas Bataille n'est plus réduit qu'à un rôle de banquier.
Les patientes recherches de l'abbé Ruais révèlent un certain
Robin Poisson dont on retrouve précisément le nom dans
les livres de comptes du duc d'Anjou. Cependant, on ne sait
précisément où se trouvait l'atelier ni le nombre d'employés
au tissage de la tenture, sans doute plusieurs centaines de
personnes à Paris.*

*Objet d'art inégalé en son genre, la tenture de l'Apocalypse ne
fut toutefois jamais exposée dans sa totalité à l'intérieur des logis
royaux des ducs, faute de place assez vaste pour recevoir une
tapisserie originellement longue de 133 mètres. Ainsi pendant
près d'un siècle, l'Apocalypse fut
exposée dans les cours du château
ou dans les rues.
En 1480, le roi René la légua
à la cathédrale d'Angers, évitant
par ce biais que son royal neveu
Louis XI qui l'avait spoliée
de son apanage, ne fit main*

*basse sur ce trésor. Ainsi, durant tout le XVIᵉ siècle,
l'Apocalypse fut tendue quatre fois par an
à Saint-Maurice. Avec le XVIIᵉ siècle, le goût pour cette
ornementation s'estompe et le XVIIIᵉ siècle rejette
définitivement la Tenture comme le décor gothique de la
cathédrale. Les chanoines la condamnent, la mettent en vente
en 1782 sans qu'aucun acquéreur ne se présente. Considérée
comme indigne du moindre intérêt pendant l'époque
révolutionnaire et pourtant « bien national », elle est
entreposée à l'abbaye Saint-Serge. En 1806, réclamée par
l'évêque qui désire se servir des fragments encore présentables
pour masquer les dégâts de la Révolution dans la cathédrale,
elle est remise à Mgr Montault qui constate son triste état.
En 1846, le chanoine Joubert entreprend de reconstituer
le gigantesque puzzle qu'est devenue l'Apocalypse d'Angers.
Il entreprend sa restauration avec deux jeunes Angevines,
en utilisant les procédés anciens pour redonner tout son éclat
à la tenture. Ainsi, c'est grâce à la volonté de cet ecclésiastique
que l'Anjou possède encore ce fleuron mondialement connu.
Bien plus tard, au lendemain de la Seconde Guerre mondiale,
la restitution du château par l'armée à l'administration des
Beaux-Arts, puis au ministère de la Culture, fait envisager
le transfert de la tenture de la cathédrale vers le château où
une salle spéciale est édifiée. Mais les précautions pour limiter
les altérations provoquées par une trop grande luminosité
s'avèrent très vite insuffisantes et pendant près de vingt-cinq
ans, on assiste à une lente dégradation des couleurs,
à un empoussiérage général et à une fatigue importante
de la tenture. En 1982, le ministère de la Culture entreprend
de changer la doublure de la tapisserie, ce qui a pour effet
de révéler un envers éblouissant de fraîcheur de coloris et
un tissage exceptionnel. Pas un fil, pas une laine mal nouée
ne viennent brouiller la lecture des scènes alors vues dans
leur état chromatique d'origine. En 1988, une nouvelle
restauration est entreprise, au cours de laquelle est découvert
un ajout sur une des pièces. Au XIXᵉ siècle, les pieuses dames
angevines à qui le chanoine Joubert avait confié les premières
restaurations ont dû s'offusquer à la vue du Diable et
délicatement — et seulement sur l'envers de la tenture — elles
ont tracé sur son front une croix faite d'un simple fil de laine.
L'exorcisme était alors accompli.*

**Les larmes de saint Jean, tenture
de l'Apocalypse. Cousues sur des
voiles de navire, les pièces de la
tenture ornaient l'itinéraire
urbain des princes lors des
cérémonies. Les festivités
achevées, l'Apocalypse retournait
au château d'Angers, où pliée, elle
était enfermée dans la « chambre
des tapisseries ».**
© Inventaire général/F. Lasa-ADAGP

Ouvert un dimanche de juin lors de la Journée des jardins, le parc de l'Hôtel du Département offre la plus belle des vues sur l'ancienne abbaye Saint-Aubin.

et colombages étaient assemblés de telle façon qu'ils permettaient une avancée sur la rue d'une coudée par étage.

Dans toute la ville, de nombreuses maisons à pans de bois aux colom-

bages variés témoignent d'un art de vivre propre à la Renaissance. La diversité des colombages suggère les fortes disparités sociales entre riches propriétaires et commerçants plus modestes. Le développement en hauteur des maisons, auquel s'adaptait bien la souplesse du bois, était dû au manque de place au sol ainsi qu'au mode d'imposition.

A deux pas de la rue Toussaint, longée de belles constructions, la rue du

Le jardin des ple

Musée mène au Logis Barrault, dit « musée de Beaux-Arts » qui, après la considérable restauration dont il fait l'objet, sera un élément essentiel de l'attrait culturel de la ville. Après la restauration de l'abbatiale Toussaint en ruines, les statues de David d'Angers l'ont investi, donnant naissance au musée David-d'Angers. La verrière du toit octroie une lumière toute particulière à ce grand édifice de style Plantagenêt.

En traversant la rue des Lices, c'est surtout l'abbaye Saint-Aubin qui, avec ses jardins, est un des bijoux d'Angers.

L'Hôtel du Département

L'abbatiale fut construite pour recevoir le corps de l'évêque Aubin, mort vers 550. Elle fait partie d'un ensemble de sept églises dont seule la collégiale Saint-Martin subsiste. En 1030, la ville brûle et Saint-Aubin doit être relevée. Au XIIe siècle, l'abbaye atteint son apogée ; le nombre accru des moines, le changement de goût pour une architecture plus somptuaire conduisent à reconstruire à couvent et agrandir l'église.

L'abbé de la Tourlandry entreprend la construction de la tour achevée au début du XIIIe siècle. Retrouvées au siècle dernier, les arcades de la salle

Le cloître Toussaint abrite les plâtres des statues de David d'Angers.

capitulaire et la porte du réfectoire constituent un ensemble sculpté et peint d'une richesse et d'une qualité exceptionnelles. Au XVIIe siècle, la réforme de la Règle entraîne une nouvelle construction des bâtiments conventuels, vétustes et non conformes aux besoins et au goût en vigueur après le concile de Trente. L'architecture répond alors à une austérité grandiose où la sculpture est employée avec parcimonie. A la Révolution, l'abbaye est confisquée et les quinze derniers moines quittent Saint-Aubin.

L'installation de l'administration du Département en 1797 a deux conséquences : la destruction de l'église gênante pour l'accès mais aussi la pré-

servation et l'entretien des bâtiments conventuels. L'installation du préfet nécessite la création des appartements. Sous Napoléon III une nouvelle aile est construite contre la façade nord : elle abrite une grande salle des fêtes inspirée des galeries du XVIIe siècle. A cette même époque, les archives départementales se développent, la sacristie devenant le bureau de l'archiviste et la salle capitulaire, le dépôt, et y restent jusqu'en 1929. Actuellement, l'abbaye qui abrite les services du Conseil

général et la Préfecture, se visite lors des Journées du patrimoine. La tour, ancien beffroi de l'ancienne abbaye, est un lieu d'exposition pour artistes.

La rue Saint-Aubin débouche sur le boulevard Foch, artère principale de la ville qui ne doit malheureusement pas sa fréquentation à la beauté de son architecture. Seule la « Maison Bleue », revêtue de mosaïque par Isidore Odorico, trouve son salut sur cette voie où l'on flâne à toute heure, et sur laquelle les modes architecturales se côtoient de bon gré. La mairie contemple un beau jardin à la française, le « Mail », lieu de promenade et de spectacle, ne serait-ce que par les concerts donnés les soirs d'été dans le kiosque.

La Maison bleue à l'angle du boulevard Foch et de la rue d'Alsace.

Le jardin du Mail, connu dans l'œuvre d'Hervé Bazin comme le lieu de rendez-vous des « méragosses ».

Le palais de justice, avec devant le monument aux morts sculpté par Jules Desbois.

Sculpture en bois sur la maison de Simon Poisson, place de la Laiterie.

En redescendant vers le bas de la ville par la place du Ralliement, où fut dressée la guillotine pendant le Terreur, on peut y apprécier un regain de vitalité depuis que sa structure a été repensée.

Le théâtre, a qui une grande toilette et un bel éclairage ont donné une nouvelle splendeur, peut s'enorgueillir de sa belle salle à l'italienne, dont le peintre Lenepveu décora le plafond. Commerces et brasseries attirent le chaland venant goûter la fraîcheur du soir dans une ambiance jeune et colorée.

A quelques pas de là, l'hôtel Pincé, chef-d'œuvre de Jean de Lespine, est, comme le logis Barrault, un témoignage de la noblesse angevine, même si les commanditaires ne furent que de riches bourgeois anoblis. Depuis, on visite un musée consacré aux antiquités ainsi qu'à l'art chinois et japonais.

Dans la rue Plantagenêt, l'hôtel de la Godeline fut le premier hôtel de ville d'Angers. Il accueille aujourd'hui la Maison des Vins d'Anjou.

Plus bas, la rue Saint-Laud est l'une des plus anciennes rues, principal axe de la ville gallo-romaine. Une bâtisse insolite du début du siècle, le dancing de l'Alcazar a beaucoup fait parler de lui, et pas seulement pour son style aux formes libres et osées.

L'hôtel de la Godeline.

Le théâtre d'Angers, intérieur.

Dès l'origine, le site, à vocation de défense, est choisi pour ses facilités de passage là où l'étranglement de la vallée et d'une île, maintenant soudées à

« Chant du monde », l'œuvre majeure de Jean Lurçat.
Comme un cri, suite aux folies de la guerre. Ph. P. David.

la rive droite, permettait un franchissement aisé. Au XIe siècle, cet accès donne naissance au quartier de la Doutre ou quartier d'Outre-Maine.

De nos jours, cinq ponts enjambent la Maine, mais c'est avec une émotion particulière que l'on emprunte le pont de Verdun. Outre son ancienneté, le plaçant comme doyen et curiosité à part entière, il permet d'entrer de plain pied dans le quartier le plus riche du patrimoine d'Angers.

Quartier dit populaire pendant longtemps, la Doutre fut cependant un quartier prospère au XIIe siècle, développé au fil des siècles autour des fondations caritatives et religieuses des comtes d'Anjou. Aussi, malgré d'importantes et récentes rénovations, le quartier reste une ville à côté de la ville, pour la grande fierté de ses habitants.

Près de l'église de la Trinité, l'abbaye du Ronceray est l'une des plus anciennes abbayes angevines. En 1028, le comte d'Anjou Foulques Nerra et sa femme Hildegarde fondent le monastère de Sainte-Marie-de-la-Charité sur les ruines d'une basilique. Le cloître, du XVIIe siècle, et les bâtiments afférents ont été affectés à l'école des Arts et Métiers.

Les maisons à colombages de la place de la Laiterie sont les plus remarquables d'Angers. Quelques-unes de leurs figures sont polychromes.

LA VRAIE DOUCEUR ANGEVINE

Le long de la Maine, Henri II Plantagenêt fit édifier au XIIe siècle l'hôpital Saint-Jean, un édifice majeur de l'art gothique « Plantagenêt » et remarquablement conservé. Marquant le renouveau religieux avec ces grands équipements hospitaliers, il fut d'abord dirigé par des ecclésiastiques. Mais l'institution charitable étant gravement compromise au XVe siècle, des bourgeois d'Angers en prennent alors la charge, améliorant sensiblement les soins.

Du XVIIe au XIXe siècle, jusqu'à cinq cents malades y sont accueillis jusqu'à la construction de l'hôpital Sainte-Marie à côté de la Doutre. Saint-Jean se vide alors de ses patients, pour laisser place, un siècle plus tard, aux dix tapisseries du « Chant du Monde », grande fresque testamentaire de Jean Lurçat, qui a entraîné sur la ville tout un mouvement en faveur des arts textiles. Sur le site, plus de trente lissiers produisent diverses créations au Centre régional des arts textiles.

Au bas de la Doutre,
l'hôpital Saint-Jean, construit
à partir du XIIe siècle, abrite
aujourd'hui les célèbres
tapisseries de Jean Lurçat
et un centre d'art textile.

Le cloître Saint-Jean.

99

Ci-dessus à gauche :
Le palais épiscopal du
XIIᵉ siècle. Seule la salle
synodale peut parfois se
visiter.

Ci-dessus à droite :
Le Tertre Saint-Laurent.

L'hôtel des Pénitentes
sert à présent
pour les réceptions.

De nombreux ordres nouveaux et institutions charitables ont laissé couvents et parfois hôtels servant de refuge aux moines durant les périodes troublées, comme l'hôtel des Pénitentes tirant son nom d'une communauté religieuse. Repenties, les femmes étaient ensuite accueillies au Bon-Pasteur, dans le grand hôtel du début du XVIIᵉ siècle.

Sur cette rive, une agréable promenade permet de contempler la cité depuis la cale de la Savatte jusqu'à la promenade de Reculée, débouchant elle-même sur l'île Saint-Aubin.

Pour les gourmets, Angers c'est aussi le Cointreau et sa célèbre bouteille carrée. Une tradition de plus d'un siècle liée à une famille angevine de grand renom.

Tout commence rue Saint-Laud, dans la première moitié du XIXᵉ siècle. Le confiseur confectionne alors des liqueurs apéritives et digestives à partir des productions fruitières locales et des eaux-de-vie du vignoble d'Anjou. Son affaire prospérant, il crée avec son frère Edouard-Jean une distillerie artisanale sur les quais de la Maine.

En 1875, le fils de ce dernier, Edouard, se lance dans la création d'une nouvelle liqueur à base d'oranges

amères provenant des Antilles. Le succès, immédiat, s'étend à toute l'Europe. Aussi, dès 1898, Edouard fait
dessiner par l'affichiste Tamagno le
Pierrot qui, pendant plusieurs décen-
nies, fut l'emblème de la marque.

Avec l'arrivée de son fils Louis, la
société devient Cointreau Père & Fils,
et, à la mort du père en 1923, Louis et
son frère André donnent un rayonnement international à la marque. En

1950, Pierre, le fils de Louis et ses cou-
sins germains Robert et Max prennent
la direction de la société.

En 1975, la distillerie est déplacée à
Saint-Barthélemy-d'Anjou, près d'Angers ; il sort chaque année environ
douze millions de bouteilles, expor-
tées à plus de 90 % dans le monde
entier. En 1990, le rapprochement
avec la société Rémy-Martin a donné
le groupe Rémy-Cointreau.

A L'EST, DU NOUVEAU

Le château de Pignerolles à Saint-
Barthélemy-d'Anjou, est un haut lieu
historique de l'Anjou. Au XVIIIe siècle,
le sieur Marcel Avril, directeur de
l'Académie d'équitation d'Angers, fit
construire à Saint-Barthélemy-d'Anjou
une copie du petit Trianon.

La Révolution transforma les lieux
en mairie locale, et c'est Pierre-Antoine
Blancher, maire de 1830 à 1863, qui
ajouta les pavillons, les grilles et une
orangerie. En 1905, le vicomte de Saint-
Chamant prit possession des lieux qu'il
transforma à son tour. Mais le 22
octobre 1939, le château fut réquisi-
tionné et devint la résidence du gouvernement polonais en exil.

Le 14 juin 1940, les Polonais durent
prendre la fuite, et le 8 juillet, ce sont
les Allemands qui s'installèrent dans
le château. Il devint alors le siège de la
Kriegsmarine que commandait l'amiral Dönitz. Celui-ci fit construire un
blockhaus et des baraquements dans

le parc pour y installer son centre de
communication. Les Américains s'installèrent à leur tour pendant l'hiver
1944-1945. Puis, d'avril à novembre
1945, ce sont des déportés et des prisonniers de différentes nationalités
qui y sont accueillis.

Le domaine fut finalement vendu à
l'Etat en 1964 qui le céda en 1969 au
district urbain d'Angers.

Déjà habitée par des Gaulois éleveurs
de bétail, Avrillé a aussi une histoire. Au
XIIe siècle, Geoffroy le Bel autorise l'implantation d'un bourg et son fils Henri
II permet aux moines de Grandmont de
s'installer à la Haye. Pendant des siècles, ils façonnent le paysage rural fait
de haies vives, de closeries, de moulins
et de vignes, qui subit au XXe siècle une
très grande transformation.

Le quartier Saint-Serge ;
les facultés.

À gauche :
La distillerie Cointreau et
ses dix-neuf grands alambics
tout en cuivre.

Les statues de François
Cacheux ont trouvé
à l'arboretum d'Angers
un écrin de verdure
et de fleurs privilégié
pour servir leur beauté.

L'ardoise angevine : le haut de gamme

Si le gisement ardoisier du bassin d'Angers commence à être exploité au XIe siècle, cette activité reste embryonnaire jusqu'au XVe. Avec le développement du transport fluvial et la construction des châteaux de la Loire, elle ne se développe d'une manière organisée et significative qu'au XIXe siècle.

La véritable naissance des Ardoisières d'Angers remonte donc à 1891 date à laquelle l'entreprise se nomme alors « Société en Nom Collectif de la Commission des Ardoisières d'Angers ». Elle est issue de la fusion de quatre sociétés angevines productrices d'ardoise qui décident de mettre leurs moyens en commun pour faire face aux investissements d'exploitation de plus en plus lourds et pour répondre à la nécessité d'une organisation commerciale efficace devant l'essor considérable du marché français.

Par la suite, le développement rapide fait des Ardoisières d'Angers le premier producteur mondial d'ardoise naturelle de couverture.

La S.N.C. devient la S.A. des Ardoisières d'Angers en 1931. En 1989, elle entre dans le groupe Imetal, grand groupe industriel français.

Les anciennes carrières de Trélazé. Le calme a succédé au roulement des chariots et au tintement des ciseaux. Seuls les collines d'ardoises et le chevalet d'extraction laissent imaginer de loin l'activité des « vieux fonds ».

La situation d'Avrillé sur une veine schisteuse est à l'origine de l'exploitation de l'ardoise. La carrière la plus ancienne de l'Anjou serait celle de l'Adézière, créée au XIe siècle. Devenue aujourd'hui une banlieue d'Angers, les témoignages du passé se perdent un peu dans l'urbanisme nouveau ; l'abbaye de la Haye-aux-Bonhommes, le château de la Perrière, le château de la Plesse et les moulins caviers de la Croix-Cadeau et de la Garde en sont les principaux. Le dimanche, de nombreux promeneurs font le tour de l'étang Saint-Nicolas du parc de la Haye.

A l'origine, rien ne distingue les « lieux-dits » de la banlieue angevine ; le sol est la propriété des nobles et des riches abbayes d'Angers. Pour modifier cela, il a fallu le développement de l'extraction de l'ardoise à Trélazé. Ses maisons basses, dispersées sans ordre apparent, bordent des voies au tracé non pas rayonnant, mais s'étirant plutôt le long du filon ardoisier.

L'année 1619 marque la visite de Marie de Médicis aux carrières de Trélazé - probablement celles de « Terre Rouge ». Ces mêmes carrières ont été témoins de la bataille livrée par Louis XIII dans la plaine de Trélazé afin de forcer le retranchement des troupes de sa mère, Marie de Médicis, établies à Sorges et aux Ponts-de-Cé.

Plus de deux cents ans après, Napoléon III s'y rend à son tour lors de la catastrophe de 1856, lorsque les eaux de la Loire envahirent subitement les carrières après la rupture de la digue à La Chapelle-Blanche.

Beaucoup plus récemment encore, la ville s'est fait connaître par sa fabrique d'allumettes ; une entreprise qui dura cinquante ans et dont on peut encore voir les murs blancs depuis la rue principale.

Un paysage particulier dont les buttes ont été créées par l'amoncellement des déchets d'ardoises lorsque les carrières étaient encore en pleine activité. Aujourd'hui, on peut suivre le sentier pédestre et retrouver gestes quotidiens des perreyeux au musée de l'ardoise, par des hommes passionnés par leurs métiers.

Selon la légende, saint Lézin, évêque d'Angers au VIe siècle, ensei-

Le moulin cavier de la Croix-Cadeau à Avrillé construit en 1739 et remarquablement restauré.

La coiffe ponts-de-céaise

Lorsqu'on désigne les coiffures de l'Anjou, il est souvent question de la coiffe des Ponts-de-Cé pour la simple raison que celle-ci aurait donné naissance à toutes les autres. On peut supposer que la variété des modèles est due aux lingères qui apportaient une touche aux coiffes de leur village, ne serait-ce que par un simple coup de fer. Leur particularité commune reste toutefois la dentelle vers le milieu, se rabattant sur toute la hauteur du front, parfois jusqu'à la naissance des sourcils. Les cheveux sont maintenus par un fond de coiffe en coton noir qui se serre au moyen d'un ruban de deux centimètres. Seules deux mèches s'échappent de la coiffe pour former une tresse cachant le haut de l'oreille, remplacée ensuite par une superposition de petits rouleaux de cheveux postiches. La ponts-de-céaise, qui est le type même de la coiffe ailée, se rabat sur les côtés en tuyautés, entourant le visage. La coiffe est ensuite serrée dans un ruban de taffetas ou de moire fermé par un nœud important sur le dessus de la tête.

La coiffe angevine trouve sa différence dans les tuyaux de dentelle qui, au lieu d'être rabattus sur les côtés, s'élèvent vers le haut et dégagent ainsi le visage.

l'effondrement imprévu d'un bloc de roche qu'il arrêta dans sa chute. Depuis, les perreyeux l'ont choisi comme saint patron.

Au sud d'Angers, l'origine de la cité des Ponts-de-Cé remonte sans doute au temps où simple lieu de passage, il permettait de relier les deux rives de la Loire.

Au temps de la conquête romaine, deux villas, « Saicu » et « Esmas », ont constitué les noyaux des deux paroisses Saint-Aubin et Saint-Maurille, la première devenant Pons Saiacus, Pon Sai et enfin, Pont de See. La commune des Ponts-de-Cé formée en 1796 par la réunion des trois paroisses Saint-Maurille, Saint-Aubin et Sorges, a connu les inondations de la Loire, du Louet et de l'Authion avant que soit installée la station de pompage.

L'aquarium de Múrs-Erigné.

À gauche :
L'église du Champ des Martyrs présente des vitraux intéressants sur les massacres de la Révolution et des ex-voto remerciant pour des grâces rendues.

gna la manière de transformer en ardoises de couverture le schiste local dont il avait découvert les propriétés. Se rendant au milieu des ouvriers pour les encourager, il les protégea de

Dumnacus aux Ponts-de-Cé.

*Le moulin des Quatre-Croix à
Saint-Saturnin-sur-Loire.*

*L'agglomération d'Angers
s'étend sur une région
de plus en plus vaste,
sans toucher au charme
des villages qui composent
sa périphérie rurale.*

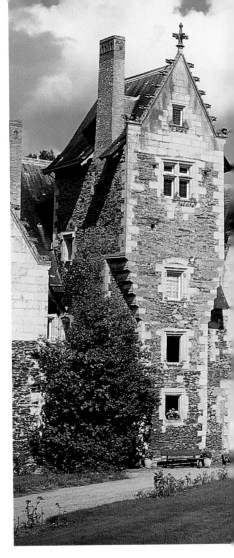

La première forteresse des Ponts-de-Cé, située sur un point stratégique important déjà utilisé par les Romains, fut construite vers 850 sous Charles II pour résister à l'invasion des Normands qui remontaient la Loire afin de piller l'intérieur du pays.

Primitivement entouré par les eaux du fleuve qui en assuraient la clôture et la défense, le château était un très bel édifice construit en pierre de tuffeau avec un chemin de ronde en encorbellement et des tours couvertes en poivrières. Aujourd'hui, il ne reste que le donjon, ouvrage pentagonal, abritant le musée des Coiffes d'Anjou.

En remontant vers le Lion-d'Angers, on se rend au Plessis-Macé admirer le

troisième beau château de l'est d'Angers. C'est sur une place forte du XIIe siècle que Louis de Beaumont, chambellan du roi de France Charles VII, commanda en 1450 la construction de ce château de plaisance.

L'imposant donjon fut restauré et de nouvelles demeures furent plaquées contre les murs d'enceinte dans lesquels furent percées des fenêtres. Il en résulte un bel ensemble avec au nord le logis seigneurial aux belles fenêtres à meneaux et s'ornant d'un superbe balcon sculpté.

A l'opposé, de vastes dépendances rassemblaient les écuries, les chambres d'écuyers et la salle des gardes. La chapelle, remarquable pour ses boiseries, fut construite plus tard.

L'île de Béhuard est devenue un des lieux les plus populaires dédiés à la Vierge. Au Ve siècle, saint Maurille, évêque d'Angers, dédia ce lieu à la maternité de Marie. Il la supplia d'être

la protectrice des riverains et des mariniers. Depuis, de nombreux pèlerins viennent chaque année au rocher de la Vierge de Béhuard.

Propriété du Département, le château du Plessis-Macé accueille de nombreuses manifestations et expositions, souvent liées au théâtre.

Le château de Brissac ;
« Si je n'étais dauphin,
je voudrais être Brissac ! »

Au XIe siècle, Geoffroy Martel, comte d'Anjou, la donna en fief à son fidèle chevalier Buhard, qui légua tous ses biens à l'abbaye bénédictine Saint-Nicolas d'Angers lorsqu'il y entra. Au XVe siècle, Louis XI ordonna la construction de la nouvelle chapelle, destinée à remplacer l'oratoire primitif. La statue de Notre-Dame de Béhuard fut placée à la pointe du rocher en 1911, après la grande crue de 1910.

Avec ses 48 mètres jusqu'au sommet des cheminées, le château de Brissac est le plus haut château de France. La famille Brissac occupe toujours les lieux, depuis René de

Ecole de Rochefort : les poètes ont bel et bien disparu

René Guy Cadou, Michel Manoll, Luc Bérimont... autant de poètes qui, durant la Seconde Guerre mondiale, ont fondé à Rochefort-sur-Loire une « école poétique » qui s'est prolongée après l'Occupation avec l'apport d'Edmond Humeau, Yves Delétang-Tardif ou Maurice Fombeure.
Ces talents, reconnus dans l'univers des belles-lettres, ont trouvé là un espace répondant à leurs attentes d'amitié, de liberté, de style, et aussi d'humour.
Il ne reste plus guère de marques de leur passage dans le village... l'influence de cette « école » apparaissant, avec le temps, peut-être un peu surfaite dans l'histoire de la poésie française.

106

L'église Saint-Vincent, située un peu plus haut, fut construite au XVIᵉ siècle par René de Cossé, dont le portrait ainsi que celui de son épouse figurent sur le seul vitrail contemporain de l'église.

Capitale de l'Aubance, Brissac reçoit les confréries vineuses.

Cossé, qui en fit l'acquisition en 1502.

Un siècle plus tard, son petit-fils entreprend des travaux d'envergure, interrompus à sa mort en 1621. Ce géant de deux cents pièces, qui aurait dû être plus vaste encore, révèle de superbes plafonds et tapisseries, ainsi qu'un remarquable mobilier. De nombreux portraits de famille, une salle des gardes de 32 mètres, une chapelle et un petit théâtre font imaginer toute la magnificence recherchée par ses propriétaires successifs.

Le vignoble
angevin

L'existence de vignobles est connue en Anjou dès le Ier siècle après Jésus-Christ et ceci de façon continue. La vigne y prospère et fait écrire à Apollonius au VIe siècle : « Il n'est non loin de Bretagne une ville située sur un rocher, riche des dars de Cérés et Bacchus, qui a tiré d'un nom grec son nom d'Andégave. »

Le vignoble angevin se développe pendant tout le Moyen Age, s'installant sous l'égide des monastères sur les rives même de la Loire et autour d'Angers.

Dès le XIIe siècle, Henri II Plantagenêt, roi d'Angleterre et comte d'Anjou, fait servir ses vins à la cour d'Angleterre. Ce dernier fait remise aux bour-

Page de gauche :
L'église d'Epiré, devant de belles – et rares – vignes plantées au nord de la Loire.

À Savennières, le domaine aux Moines.

geois d'Angers de son droit de banvin (privilège de vente du seigneur au cours d'une période de l'année). Confirmée par Philippe Auguste, cette mesure entraîne un grand développement du vignoble ; ce qui fait dire à Guillaume Lebreton dans « La Philip-

pide » : « On a peine à trouver une ville plus riche, plus belle, ni qui ait la gloire de produire en telle abondance un aussi noble vin. »

Les moines ont aussi un rôle privilégié dans le développement du vignoble d'Anjou et de Saumur. Par la

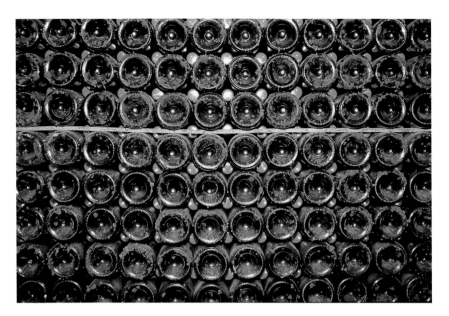

suite, le vignoble ne cesse de prospérer sous la bienveillante protection des comtes d'Anjou.

Sous le règne du roi René, le commerce des vins depuis Angers et Saumur atteint son apogée. Celui-ci écrit : « De tous les vins de mon cellier, Anjou, Lorraine et Provence, le meilleur est le premier. » Le livre de comptes de ce souverain permet d'établir que vers 1460, la production des vins d'Anjou et de Saumur dépasse 900 000 hectolitres. Ainsi, jusqu'à la fin du XVe siècle, le vignoble de l'Anjou est reconnu comme l'un des meilleurs et des plus riches.

A partir de 1672, avec la guerre de Hollande, les échanges entre la France et la Hollande s'arrêtent. Ils reprennent sous le règne de Louis XVI avec la canalisation du Layon en 1776 par la Compagnie des Mines de Houille de Saint-Georges-Chatelaison. Cette canalisation permet aux bateaux des négociants hollandais de faire la collecte des vins de toute la côte du Layon. Les vins blancs du Layon commercialisés sont estimés à 25 000 hectolitres environ.

Jusqu'à la fin du XIXe siècle, plusieurs événements contrarient l'essor du vignoble. L'année 1789, ce sont les affres de la Révolution et, durant l'année 1793, les guerres de Vendée.

L'effondrement de l'estime des vins de Loire auprès de la cour royale en France au XVIIIe siècle provoque la quasi-disparition du vignoble autour d'Angers et au XIXe siècle, les vins du Layon portent pratiquement à eux seuls le prestige de l'Anjou.

Durant un siècle, on s'évertue à reconstituer le vignoble mais un nou-

Au cœur du Layon, sur les terres du château « Pierre Bise », le spectaculaire mûrissement d'un pied de chenin blanc entre fin septembre et début novembre 2000. Le tri de vendanges tardives permettra d'obtenir un superbe vin blanc (malgré ce que la couleur des dernières grappes laisserait penser), et très moelleux.

harmonie autour de quelques cépages permettent de diviser le vignoble en cinq grandes zones viticoles.

Au sud d'Angers, regroupés autour de la commune de Brissac, la zone de l'Aubance se caractérise par de nombreux petits coteaux d'expositions variées. Constitués de formations schisteuses, les sols sont plats et peu profonds. La pluviométrie y est faible, avec une répartition annuelle qui met en évidence une arrière-saison sèche propice à la maturité et aux vendanges tardives.

La zone du Layon se compose, le long de la rivière du Layon, d'une multitude de petits coteaux orientés sud/sud-est, tout à fait favorables à la vigne sous notre climat. Le climat de ce secteur, favorable à la production de vendanges surmûries, est mis en évidence par la tendance méridionale de la flore.

Les sols sont généralement schisteux et couverts de sable. Dans la zone du Haut-Layon, on trouve également des sols schisteux aux terres sombres peu profondes se réchauffant facilement, à fort potentiel viticole.

Les coteaux de la Loire sont doux et humides avec de vraies périodes sèches en juillet. La géologie se caractérise par des zones de replats et de plateaux, des sols bruns développés

veau fléau s'abat sur lui : le phylloxéra, qui provoque la destruction des trois quarts du vignoble. Il faut vingt ans pour le reconstituer.

Célèbre pour ses vins blancs moelleux, l'Anjou se lance alors dans l'élaboration de toute une gamme de rosés, puis de vins secs, rouges et effervescents.

Une grande variété de terroirs, la présence de microclimats travaillés en sur des schistes et des grès, mais aussi des sols bruns développés sur des calcaires ou sur du falun.

Les coteaux du Saumurois, c'est l'« Anjou blanc ». Dans un relief de plateaux aux pentes douces, le vignoble s'étend largement sur le calcaire qui affleure sur un sous-sol de tuffeau.

Enfin, quelques zones aux volumes moins importants occupent les coteaux du Thouet, le Baugeois et le nord du département.

En tout, vingt-huit vins d'appellation d'origine contrôlée font la richesse et l'originalité du terroir.

Pour les vins blancs, ce sont l'Anjou blanc, l'Anjou « Coteaux de la Loire », le Savennières Roche-aux-Moines ou Coulée de Serrant, le « Coteaux de l'Aubance », le « Coteaux du Layon » de Faye-d'Anjou, de Beaulieu-sur-Layon, de Rablay-sur-Layon, de Saint-Aubin-de-Luigné, de Rochefort-sur-Loire, de Saint-Lambert-du-Lattay, le « Coteaux du Layon, Chaume », le « Coteaux du Layon, Bonnezeaux », le « Coteaux du Layon, Quarts de Chaume », le « Coteaux de Saumur », le Crémant de Loire.

Pour les vins rouges, ce sont l'Anjou, l'Anjou-Villages, l'Anjou-Villages-Brissac, l'Anjou-Gamay, le Saumur-Champigny et le Saumur Rouge.

Pour les vins rosés, ce sont, le Rosé d'Anjou, le Cabernet d'Anjou, le Rosé de Loire et le Cabernet de Saumur.

Le Layon

CHALONNES-SUR-LOIRE - SAINT-LAMBERT-DU-LATTAY - SAINT-AUBIN-DE-LUIGNÉ
BEAULIEU-SUR-LAYON - RABLAY-SUR-LAYON - FAYE-D'ANJOU
FAVERAYE-MÂCHELLES - MARTIGNÉ-BRIAND - AUBIGNÉ-SUR-LAYON

Calé au pied des coteaux calcaires, le Layon suit, à la faveur d'une longue fracture du sous-sol, un long sillon topographique où le microclimat et les pentes ensoleillées ont permis l'installation d'un vignoble aux appellations réputées comme le Quart de Chaume, le Chaume, le Bonnezeaux et le Coteaux du Layon.

Aujourd'hui, c'est sans doute, après la Loire, la rivière de l'Anjou qui jouit de la plus forte notoriété surtout auprès des œnologues français. Avec ses 10 000 hectares de vigne, dont 2 000 ont été plantés en chenin, et ses nombreuses caves où l'on peut apprécier le vieillissement de ses vins, la vallée a définitivement conquis les plus fins palais.

Ses points de vue pittoresques ne sauraient pourtant faire oublier les mouvements des guerres de Vendée. Mais quand le bouchon saute, les querelles s'oublient et, du travail de la terre, vient la joie des hommes.

Aussi, ne boudons pas notre félicité de trouver, entre rivière et coteau, un havre d'humanité où l'on cultive les valeurs fondamentales. « Fontaine, je ne boirais pas de ton eau... peut-être, mais Layon, je ne boirais pas de ton vin... oh, ça jamais. »

C'est ici que commence la terre de Rabelais et comme le dit le sage : « Mieux vaut dormir ivre dans son lit, que mort dans sa tombe. »

Le Layon n'est pas qu'une zone viticole liée à la rivière, car il y a de nombreuses curiosités à voir aux alentours. Petite rivière, elle devient un lieu privilégié pour l'expert en canoë et par ses coteaux, pour l'amateur de randonnées pédestres. Et puis, en suivant le Layon, on découvre des villages divers, aux personnalités propres, qui invitent à des découvertes multiples et enrichissantes.

Page de gauche :
L'explication de la notoriété de la rivière du « Layon » : le vin qui abonde sur ses coteaux.

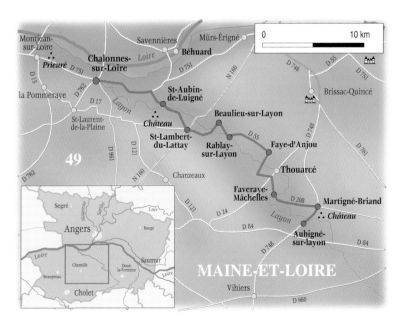

115

*L'église Notre-Dame
à Chalonnes-sur-Loire.*

Située au confluent de la Loire et du Layon, Chalonnes-sur-Loire fait partie des plus anciens lieux habités de l'Anjou, en témoignent les restes de moustérien supérieur trouvés à Roc-en-Pail et datés d'environ 40 000 ans avant notre ère. Bien plus tard, après avoir été une active cité gallo-romaine, elle occupa, grâce à ses ressources, une place commerciale importante sous l'Ancien Régime. Chaque jour, une quarantaine de bateaux faisaient escale sur les quais d'où l'on chargeait le charbon, le lin, le chanvre et les vins. Aujourd'hui, c'est un point de passage obligé, du

*La Loire traverse le département d'est
en ouest. Tout au long de ces 116 km,
elle offre de nombreux « coins de pêche »
agréables où les plus chanceux taquineront
la brème, le sandre, le brochet voire
même la fameuse anguille.*

116

fait de ses ponts, pour qui veut aller vers Beaupréau. Son marché hebdomadaire et ses nombreux commerces affirment une importance certaine sur les contrées avoisinantes.

Depuis quelques années, le développement industriel de Chalonnes-sur-Loire a fixé sur place une population nombreuse garante de la prospérité pour les jours à venir. Qu'on ne s'y trompe pas, c'est à Chalonnes que l'on trouve le seul leader mondial industriel implanté en Anjou : les pressoirs C.M.M.C. Vaslin Bücher qui écrasent le raisin dans la quasi-totalité des pays du globe où l'on fait du vin.

La route des vignobles de l'Anjou et de Saumur permet de découvrir l'étendue des surfaces plantées d'un bout à l'autre du Maine-et-Loire.

Il est possible de louer des barques pour de courtes promenades sur le Layon à Saint-Aubin-de-Luigné.

117

Au printemps, une maison de vignes veille sur les sarments.

Le musée de la Vigne et du Vin à Saint-Lambert-du-Lattay.

On appelle souvent Saint-Aubin-de-Luigné, la « perle de l'Anjou », sans doute à cause de sa beauté mais aussi pour la renommée de ses vins : le Chaume, le Quart de Chaume et le Layon.

L'ancien presbytère, aujourd'hui mairie, fut construit au XVIᵉ siècle par Jean de Pontoise qui le dédia au bienfaiteur de sa famille, le pape Alexandre VI Borgia. L'église fut reconstruite à la fin du XIXᵉ siècle en style néo-gothique. On remarque le beau portail aux fines sculptures et la porte cloutée et ornée de caissons.

La plus belle vue de la commune s'apprécie toutefois depuis le haut de la tour du moulin Guérin, d'où l'on découvre le vignoble et les Mauges par beau temps.

Situé au cœur du vignoble des coteaux du Layon, Saint-Lambert-du-Lattay est, avec ses 850 hectares de vigne et ses cinquante-cinq familles de vignerons, réputée pour être la commune la plus viticole de l'Anjou. Ne trouvant peut-être pas plus logique ailleurs, le musée de la Vigne et du Vin s'est donc installé dans les celliers de la Coudraye, pour y rassembler tout ce qui a trait à la viticulture : travail de la vigne et du vin, tonnellerie et outils et pressoirs et même un

L'ancien presbytère de Saint-Aubin-de-Luigné.

Vu par un académicien français

Vous traversez un pays où l'orage est comme en permanence, pendant les mois d'été. Le ciel est parcouru par des nuages gris bordés de blanc, qui deviennent peu à peu des nuages cuivrés bordés d'argent ; le vent les pousse vivement là-haut, mais la Loire n'a pas même une petite brise ; l'air est à la température du corps, il met la fièvre dans le sang, il irrite les insectes et accable l'herbe. Et cela dure tout le matin et tout l'après-midi, sans pluie, ni foudre, avec de sourds grognements atténués par l'espace immense, jusqu'au soir qui chasse les nuages, ouvre tout le ciel aux étoiles et laisse descendre le vent.
René Bazin

sentier d'interprétation pour découvrir la géologie de la vallée.

A Beaulieu-sur-Layon, dans un décor paisible et verdoyant, le pont Barré garde le souvenir sanglant de la terrible bataille de septembre 1793, durant laquelle les Vendéens prirent à revers l'armée républicaine.

Aujourd'hui le site est arpenté par les amoureux de la nature et les botanistes. En effet, par leur exposition au sud, les versants escarpés du Layon abritent une végétation unique dans les alentours.

Perdu au milieu du vignoble, Rablay-sur-Layon garde l'aspect des villages d'autrefois tout en ayant su attirer le touriste de retour des grandes randonnées à travers les vignes.

Une Maison de la Dîme du XVe siècle et une église du XVIIIe siècle auxquelles vient s'ajouter le presbytère transformé en village d'artistes où

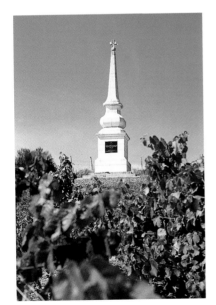

Le mémorial des guerres de Vendée à Beaulieu-sur-Layon.

Les calvaires et les croix de chemin constituent une identité certaine des paysages ruraux angevins. Des actions sont menées pour les protéger ou les remettre en valeur.

119

*Martigné-Briand : les ruines
du château.*

lage de Faveraye, avec ses tuiles et ses moellons de falun, fait penser aux villages méridionaux. Dans le presbytère de Mâchelles, la chaleur est évoquée par la fabrication de tricots en laine mohair et d'alpaga.

Le troupeau n'est pas entièrement sur place, mais quelques animaux suffisent à donner cette petite touche insolite que l'on retrouve çà et là, à travers l'Anjou.

Hormis son patrimoine viticole, Martigné-Briand possède encore de nombreux châteaux et manoirs, l'édifice le plus représentatif étant son château du XVIe siècle, ruiné mais inscrit aux monuments historiques, autrefois luxueuse demeure seigneuriale. Il fut incendié lors des guerres de Vendée mais a toutefois préservé des décorations sur la façade, où l'art gothique flamboyant se mêle à l'art Renaissance. Lors de la visite, on peut accéder aux souterrains du XIIIe siècle.

Aubigné-sur-Layon est l'un de ces villages de charme, si chers au cœur des Ligériens. Les vestiges sont mis en valeur et la vie d'autrefois semble

sculpteurs sur métaux, créateurs de bijoux, peintres et liciers d'art se côtoient. C'est un espace convivial où l'on trouve si l'on cherche de bonnes idées de cadeaux.

Faye-d'Anjou est un petit bourg d'un peu plus de 900 habitants qui n'expose que quelques vestiges du château de Chauzé et du château de Gilbourg. Près du moulin à vent de la Pinsonnerie, on découvre le panorama sur la vallée, où l'on produit un vin de très bonne qualité.

Faisant face aux versants des coteaux bordant le Layon, le joli vil-

La levée de la Loire ou

La vallée d'Anjou s'étale au nord de la Loire sur une vaste zone d'environ 40 000 hectares sur une longueur de 70 kilomètres, en englobant l'Authion. Régulièrement submergées par les eaux du fleuve, les terres sont, dès l'Antiquité, reconnues pour leur fertilité. Mais pour faire face aux débordements du fleuve, les habitants ont recours à de petites digues individuelles en terre, ou « turcies » qui protègent les habitations tout en laissant les submersions hivernales chargées d'alluvions fertiliser les terres. L'histoire de la levée ne commence véritablement qu'à la fin du XIIe siècle, quand Henri II Plantagenêt fait naître l'idée d'une digue continue. L'objectif est d'étendre les terres labourables en les protégeant des débordements du fleuve. L'entretien et la surveillance sont assurés par des « colons » en contrepartie de quelques privilèges. A cette époque la Grande Levée borde le fleuve de Sainte-Patrice, en Indre-et-Loire, jusqu'à Saint-Martin-de-la-Place. Elle se présente sous forme de remblais

*Les restes
du château
d'Aubigné-sur-
Layon.*

continuer dans un décor de théâtre.
Un tableau assez complet aux belles
couleurs des restes du château sur
lequel s'appuient l'église, le porche et
le donjon ou le four à ban, rehaussé de
beaux logis anciens.

a maîtrise du fleuve royal

*de terre entremêlés de « fascines », fagots
maintenus par des pieux.*

*Pendant sept siècles, la levée est sans cesse
rallongée, réparée et rehaussée. Ainsi,
à partir de la fin du XVe siècle, en plus
de l'exploitation intégrale de la plaine
fluviale, l'orientation est donnée à la
navigabilité du fleuve et à la conservation
des ports et des ponts. Au XVIIIe siècle,
de célèbres ingénieurs conduisent de
nombreux travaux tout au long de la Loire.
Après la désastreuse crue de 1707, le
gouvernement fait exhausser la Levée
à 6,80 mètres au-dessus des basses eaux.
Le paysage riverain est profondément
modifié car la Levée s'élève alors jusqu'à
2 mètres au-dessus des berges naturelles.
De 1830 à 1832, des travaux canalisent
et déplacent l'embouchure de l'Authion
en aval, ce qui permet l'assèchement de
2 233 hectares de terres.*

*Les eaux plus basses durant les mois d'été permettent à la Loire angevine de faire
admirer la magnificence toujours changeante de ses bancs de sable.*

Malgré les moyens énormes mis en œuvre au cours des siècles, la Grande Levée d'Anjou a connu
de graves échecs en ce qui concerne l'endiguement des eaux du fleuve. La conception même
d'une digue insubmersible sans déversoirs susceptibles de recevoir le trop-plein d'eau et la volonté
de maintenir de force le fleuve dans un lit parfois trop étroit, se sont révélées catastrophiques :
les crues exceptionnelles ont régulièrement rompu la Levée dévastant brutalement habitations et
cultures. Cependant, la Grande Levée a fait de la vallée de l'Authion une région peuplée et cultivée.

Beaufort-en-Vallée
et le val d'Authion

BRAIN-SUR-L'AUTHION - MAZÉ - BEAUFORT-EN-VALLÉE
SAINT-MATHURIN-SUR-LOIRE - LA MÉNITRÉ - LES ROSIERS-SUR-LOIRE
SAINT-CLÉMENT-DES-LEVÉES - SAINT-MARTIN-DE-LA-PLACE

Cerné au sud par la Loire et au nord par les coteaux du Baugeois, le Val d'Authion constitue une vaste plaine depuis les confins de l'Indre-et-Loire, jusqu'aux portes d'Angers.

Exposée aux débordements de la Loire, elle fut protégée par les crues du fleuve par des turcies élevées sous les Plantagenêts. Dès lors, les activités agricoles comme l'horticulture ou l'arboriculture purent prospérer.

Les grands aménagements des années 1960 favorisèrent de nouvelles activités : semences, maraîchage, céréales... une mosaïque de parcelles aligne désormais tunnels et serres. L'abondance de fleurs aidant, l'impression d'être au pays des polders vient facilement à l'esprit.

Construit en 1772 par le maréchal de Contades, le château de Montgeoffroy est toujours resté dans la même famille. Un architecte parisien le construisit en trois ans, incluant la chapelle du XVIe siècle et les deux belles tours d'un château primitif.

Son autre particularité est d'avoir gardé intact son agencement depuis l'Ancien Régime. Commodes, bergères, consoles et toiles de maîtres n'ont jamais changé de place et l'on voit rarement un château aussi meublé et autant « prêt à l'emploi ».

Table mise, bouquet de fleurs fraîches, photos de famille et objets du quotidien donnent à ce château habité une chaleur et une vie particulières. On visite également la chapelle, la sellerie et les écuries abritant différentes voitures à cheval.

Page de gauche :
Beaufort-en-Vallée, au cœur du bassin horticole qui s'épanouit dans la vallée de l'Authion.

Le château de Montgeoffroy : riche façade et portail stylé : l'intérieur fort bien meublé est typique des châteaux de l'Anjou, remarquable car encore habité.

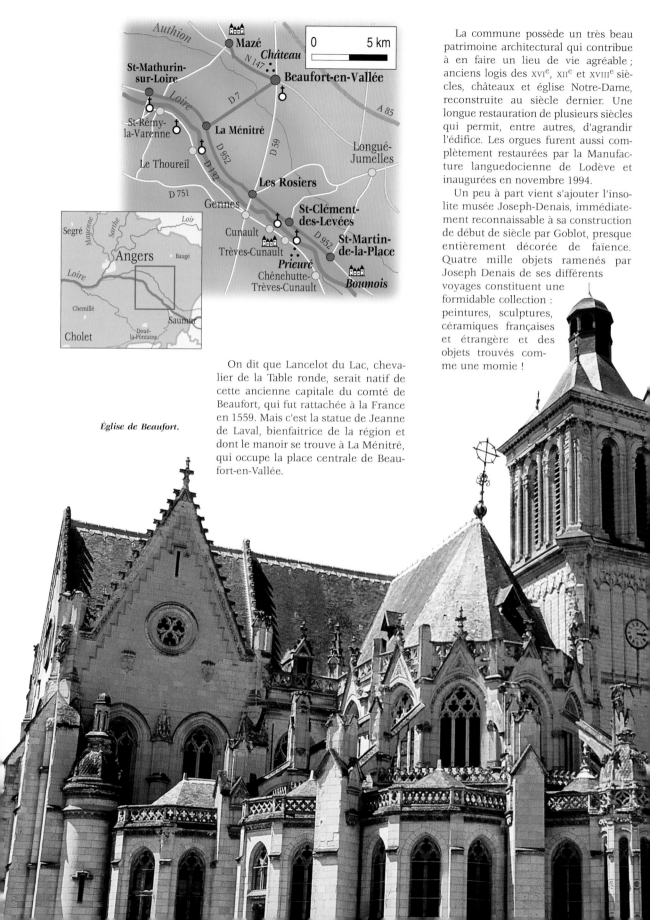

La commune possède un très beau patrimoine architectural qui contribue à en faire un lieu de vie agréable ; anciens logis des XVIe, XIIe et XVIIIe siècles, châteaux et église Notre-Dame, reconstruite au siècle dernier. Une longue restauration de plusieurs siècles qui permit, entre autres, d'agrandir l'édifice. Les orgues furent aussi complètement restaurées par la Manufacture languedocienne de Lodève et inaugurées en novembre 1994.

Un peu à part vient s'ajouter l'insolite musée Joseph-Denais, immédiatement reconnaissable à sa construction de début de siècle par Goblot, presque entièrement décorée de faïence. Quatre mille objets ramenés par Joseph Denais de ses différents voyages constituent une formidable collection : peintures, sculptures, céramiques françaises et étrangère et des objets trouvés comme une momie !

Église de Beaufort.

On dit que Lancelot du Lac, chevalier de la Table ronde, serait natif de cette ancienne capitale du comté de Beaufort, qui fut rattachée à la France en 1559. Mais c'est la statue de Jeanne de Laval, bienfaitrice de la région et dont le manoir se trouve à La Ménitré, qui occupe la place centrale de Beaufort-en-Vallée.

Comme une porte vers la vallée, Saint-Mathurin incarne le bonheur des villages de Loire.

DE L'AUTHION AU FLEUVE

De l'autre côté de l'Authion, les belles rives de la Loire à Saint-Mathurin-sur-Loire invitent à découvrir un patrimoine plaisant, notamment à la Marsaulaie, sa chapelle flamboyant aux belles statues des XVe et XVIIe siècles. Depuis quelques années, Saint-Mathurin est une étape importante pour qui s'intéresse particulièrement à la Loire. En effet, l'Observatoire de la vallée d'Anjou explique les efforts des Vallerots aux cours des siècles pour tenter de maîtriser le fleuve.

Problèmes rencontrés, maquettes permettant de comprendre les mouvements de l'eau et ses débordements sont ici le centre d'intérêt primordial. Toutefois, les oiseaux de la vallée sont aussi largement représentés ; de nombreuses espèces que l'on peut apercevoir durant les promenades.

La Ménitré est la plus jeune des communes de la vallée de l'Authion. Elle fut créée au XIXe siècle, selon un plan d'urbanisme audacieux à l'époque.

Pourtant, à l'instar de nombreux villages d'Anjou, la tradition perdure. Ici, on s'émeut toujours de la poésie de Marc Leclerc et des coiffes des belles Angevines.

C'est aux Rosiers-sur-Loire que l'on peut admirer un beau presbytère du XVIe siècle, une ancienne auberge, une église dont le clocher est attribué à Jean de Lespine, et dans un style beau-coup plus récent, la fontaine « bouleversante » de Bernard Gitton. La spécialité de cet ancien chercheur est la création d'horloges hydrauliques.

La principale caractéristique de Saint-Clément-des-Levées est d'être un village de mariniers dont la structure actuelle porte la trace d'une vie ancienne tournée vers le fleuve. Un musée « Loire et métiers » propose un agréable voyage dans le temps avec une multitude d'objets à découvrir. A quelques kilomètres de Saumur, à Saint-Lambert-des-Levées, l'insolite est au rendez-vous avec le musée « A la découverte de l'huile d'Anjou » qui mêle culture, recettes et odeurs alléchantes autour du thème de l'huile.

Saint-Martin-de-la-Place, place forte des Plantagenêts au XIe siècle, n'a gardé qu'une église romane au clocher classé, ainsi que les châteaux de la Poupardière et de Boumois, ce dernier ayant vu naître le célèbre amiral Dupetit-Thouars.

Carrelet sur l'Authion.

Remerciements

*Comme une promenade s'enrichit au fil des confidences distillées
par les gens du cru, ce livre est notre témoignage sur les hommes
et les femmes qui écrivent, à leur manière, la vie de l'Anjou.*

*Nos remerciements iront donc à tous ces acteurs de l'histoire touristique
d'une belle province unie par la Loire, qui nous ont prouvé
leur sens de l'accueil.*

Adresses utiles

ORGANISMES DÉPARTEMENTAUX

COMITÉ DÉPARTEMENTAL
DE TOURISME DE L'ANJOU
Place Kennedy
49021 Angers Cedex 02
Tél. : 02 41 23 51 51

ANJOU RÉSERVATIONS
Place Kennedy - B P 2147
49021 Angers Cedex 02
Tél. : 02 41 23 51 23

OFFICE DE TOURISME D'ANGERS
Place Kennedy - 49100 Angers
Tél. : 02 41 23 50 00

OFFICE DE TOURISME DE CHOLET
Place Rougé
49306 Cholet Cedex
Tél. : 02 41 49 80 00

OFFICE DE TOURISME
DE SAUMUR
Place de la Bilange
49418 Saumur Cedex
Tél. : 02 41 40 20 60

PARC DE LOISIRS
DU LAC DE MAINE
Centre nautique et d'accueil
49 avenue du Lac-de-Maine
49110 Angers
Tél. : 02 41 22 32 10

LOIRE OCÉAN
GÎTES ET ITINÉRAIRES
2 boulevard de la Loire
44200 Nantes
Tél. : 02 40 35 62 26

LES PLUS GRANDS SITES...

CHÂTEAU D'ANGERS
promenade du bout du monde
49100 Angers
Tél. : 02 41 87 43 47

CHÂTEAU DE SAUMUR
49400 Saumur
Tél. : 02 41 40 24 40

ABBAYE ROYALE DE FONTEVRAUD
49590 Fontevraud
Tél. : 02 41 51 71 41

PARC ZOOLOGIQUE TROGLODYTE DE
DOUÉ-LA-FONTAINE
103, route de Cholet
49700 Doué-la-Fontaine
Tél. : 02 41 59 18 58

Offices de tourisme et syndicats d'initiative

BAUGÉ
02 41 89 18 07

BEAUFORT-EN-VALLÉE
02 41 57 42 30

BEAULIEU-SUR-LAYON
02 41 78 65 07

BEAUPRÉAU
02 41 75 38 31

BÉHUARD
02 41 72 84 11

BLAISON-GOHIER
02 41 57 17 57

BOUCHEMAINE
02 41 22 20 00

BRAIN-SUR-ALLONNES
02 41 52 87 40

BRISSAC-QUINCÉ
02 41 91 21 50

BRIOLLAY
02 41 42 16 84

CANDÉ
02 41 92 73 19

CHALONNES-SUR-LOIRE
02 41 78 26 21

CHAMPTOCEAUX
02 40 83 57 49

CHANZEAUX
02 41 78 32 16

CHÂTEAUNEUF-
SUR-SARTHE
02 41 69 82 89

CHEMILLÉ
02 41 46 14 64

CHEVIRÉ-LE-ROUGE
02 41 90 12 07

CUNAULT
02 41 67 92 55

DENÉE
02 41 78 72 18

DOUÉ-LA-FONTAINE
02 41 59 20 49

DRAIN
02 40 98 20 30

DURTAL
02 41 76 37 26

FONTEVRAUD
02 41 51 79 45

LE FUILET
02 41 75 54 19

GENNES
02 41 51 84 14

INGRANDES-SUR-LOIRE
02 41 39 29 06

LE LION-D'ANGERS
02 41 95 83 19

MAULÉVRIER
02 41 55 06 50

MAZÉ
02 41 74 96 46

LA MÉNITRÉ
02 41 45 67 51

MONTJEAN-SUR-LOIRE
02 41 39 07 10

MONTREUIL-BELLAY
02 41 52 32 39

MONTSOREAU
02 41 51 70 22

MORANNES
02 41 42 21 30

NOYANT
02 41 89 50 29

LA POSSONIÈRE
02 41 72 22 08

POUANCÉ
02 41 92 45 86

LE PUY-NOTRE-DAME
02 41 38 87 30

ROCHEFORT-SUR-LOIRE
02 41 78 81 70

LES ROSIERS-SUR-LOIRE
02 41 51 90 22

SAINT-AUBIN-DE-LUIGNÉ
02 41 78 59 38

SAINT-FLORENT-LE-VIEIL
02 41 72 62 32

SAINT-LAMBERT-
DU-LATTAY :
02 41 78 44 26

SAINT-LAURENT-
DE-LA-PLAINE
02 41 78 24 08

SAINT-LAURENT-
DES-AUTELS
02 40 82 71 23

SAINT-MARTIN-
DE-LA-PLACE
02 41 38 43 06

SAINT-MATHURIN-
SUR-LOIRE
02 41 57 01 82

SAINT-RÉMY-LA-VARENNE
02 41 57 32 32

SAVENNIÈRES
02 41 72 84 46

SEGRÉ
02 41 92 86 83

SEICHES-SUR-LE-LOIR
02 41 76 20 37

THOUARCÉ
02 41 54 14 36

TIERCÉ
02 41 31 14 40

VALANJOU
02 41 45 43 25

LA VARENNE
02 40 98 51 04

VAUCHRÉTIEN
02 41 91 24 18

VIHIERS
02 41 75 80 60

Cartographie : Patrick Mérienne
Conception graphique : Hokus Pokus
Photogravure : Nord Compo Villeneuve d'Ascq (59)

© 2001 - Édilarge S.A., Éditions Ouest-France
Imprimé en France par l'imprimerie Pollina à Luçon (85) - n° L45513
I.S.B.N. 978.2.7373.2576.2 - N° d'éditeur : 3958.04.1,5.01.08
Dépôt légal : avril 2001
www.editionsouestfrance.fr